D0453471

Le sanglot des anges

Tome III

Le Tueur à la casquette rouge

Le sanglot des anges

Tome III

Le Tueur à la casquette rouge

PHILIPPE RIBOTY

Riboty, Philippe, 1964-

Le sanglot des anges

Sommaire : 1. Le Tueur de la 495 -- 2. Le Tueur de la Belle au bois dormant -- 3. Le Tueur à la casquette rouge.

ISBN 978-2-922592-07-8 (série)
ISBN 978-2-922592-13-9 (v.1)
ISBN 978-2-922592-14-6 (v.2)
ISBN 978-2-922592-15-3 (v.3)

Les éditions Barels
698, rue Saint-Jean, C.P. 70007
Québec, Québec G1R 6B1
CANADA
Téléphone : 418 522-3400
Télécopieur : 418 522-3400
E-mail : info@barels.ca
Site web : www.barels.ca

Québec, Canada

Révision linguistique en français international
Margo Vitrac, La boîte à virgules, 87510 Saint-Jouvent, France

Imprimé au Canada

La maturité est
la perte de ses croyances

1

Dans l'antre…

— Aidez-moi ! Aidez-moi ! supplie Laura à travers ses sanglots.

Jarvis s'accroupit et pénètre sans hésiter dans l'étroite ouverture de l'antre. Elle se dirige vers un faible faisceau de lumière qui émane de la lanterne suspendue au plafond. Une horrible odeur de putréfaction, d'urine et d'excréments envahit ses narines. Elle plisse les yeux bien malgré elle et aperçoit Laura enchaînée. Affolée, la prisonnière se cale contre le mur.

— *Nom de Dieu* ! pense Jarvis, horrifiée à la vue de la femme nue et couverte d'ecchymoses. N'ayez pas peur, je suis du FBI, s'annonce-t-elle d'une voix douce pour rassurer la prisonnière.

Laura fond en larmes en se laissant porter par ses chaînes.

— Vous êtes seule ? demande Jarvis en pointant son arme vers le fond de la cache plongée dans l'obscurité la plus totale.

— Oui, oui ! répond Laura d'une voix entrecoupée de sanglots.

Jarvis s'arrête à la hauteur de la pauvre fille et scrute attentivement le fond du repaire. Puis elle se retourne vers Laura qui redresse la tête.

— Il y a… il y a un homme… nu… avec une arme. Il est dehors.

— Un homme ! Est-il seul ? demande Jarvis de nouveau aux aguets.

— Ououi ! répond Laura qui n'arrive pas à formuler correctement une phrase malgré toute sa bonne volonté.

— C'est fini, il ne fera plus de mal à personne.

Dehors les hurlements des sirènes se font de plus en plus insistants. Jarvis rengaine son arme et retire son veston en toute hâte.

— Tenez, enfilez ça.

Elle dépose le vêtement sur les épaules de Laura, ramasse un lourd pied-de-biche rouillé et revient vers elle. Laura retient subitement son souffle.

— Surtout, ne bougez pas. Ahhh ! hurle Jarvis.

La policière s'élance et enfonce de toutes ses forces la tête du pied-de-biche dans le mur de terre, faisant sauter d'un seul coup la planche de bois qui maintenait enchaîné au mur le bras de Laura.

*

* *

Au même moment sur la route 622, aux abords du Parc national de Shenandoah...

Une voiture de police de l'État de Virginie fonce sur le bitume, toute sirène hurlante. À son bord, deux jeunes officiers dans la vingtaine, les premiers à répondre à l'appel à l'aide avec mention *agent en danger* sont gonflés à bloc. L'officier passager baisse son pare-soleil, dévoilant ainsi une photo le montrant en compagnie de sa femme et de sa fillette. Il est vêtu de son plus bel uniforme et affiche un sourire radieux, une main posée sur l'épaule de sa ravissante épouse assise juste devant lui. Les cheveux fraîchement coiffés, la jeune femme arbore un chemisier jaune à dentelle offert par son beau-père tout spécialement pour l'occasion. Blottie dans ses bras trône fièrement leur petite fille à la chevelure noire et bouclée tout comme sa maman. Envahi d'un mauvais pressentiment, l'officier ravale sa salive en contemplant la scène.

— Ma petite va avoir six mois dans deux jours, confie-t-il à son collègue qui garde les yeux rivés sur la route. Avant, je jouais au basket-ball tous les mercredis après-midi avec des amis. Avec ma femme, on a pris la décision de poursuivre nos activités individuelles malgré la venue du bébé. Mais, crois-le ou non, depuis sa naissance, je n'ai pas joué une seule partie. Au lieu de lancer le ballon dans le panier, je consacre mes mercredis à lui aménager une chambre toute neuve. Et tu sais quoi ? Ça ne me manque pas le moins du monde. Pourtant, j'y jouais depuis mon adolescence ; je n'avais jamais raté une seule partie et j'étais toujours le premier arrivé, avoue-t-il en riant nerveusement. Pour son premier anniversaire, ma femme a déjà planifié de lui préparer un gros gâteau juste pour elle, aux trois chocolats... Elle a commencé à acheter des tas de jouets et de nouveaux vêtements qu'elle emballe dans des boîtes différentes avant de les cacher un peu partout dans la maison. Je ne cesse de lui répéter que Diane n'a que six mois et qu'elle ne pourra pas les trouver, pas plus qu'elle ne pourra les déballer seule à son anniversaire... elle sourit et continue comme si je n'avais rien dit. J'ai beau ne pas comprendre pourquoi elle agit de la sorte, ça me rend quand même fier chaque fois que je la vois envelopper un cadeau. C'est dingue, non ?

Son collègue, les yeux toujours rivés sur la route, sourit poliment.

— Ça va aller, ne t'inquiète pas, le rassure-t-il gentiment en cachant tant bien que mal sa propre nervosité.

— C'est là ! crie soudain le jeune papa, les yeux écarquillés, en pointant du doigt le véhicule bleu marine du FBI abandonné par Seward plus tôt dans la soirée.

Survolté, il embrasse la photo et relève vivement le pare-soleil qui rebondit sur le plafond. Le chauffeur sursaute et freine brusquement. Les deux agents sont propulsés vers l'avant. À peine le véhicule s'est-il immobilisé que le passager a déjà les pieds au sol. Armé de son 45 millimètres et de sa lampe de poche, il fend aussitôt les hautes herbes jusqu'au véhicule de Seward garé dans les broussailles. Pendant ce temps, son collègue, les mains crispées sur le volant, aligne la voiture dans l'étroit passage tracé par Jarvis quelques minutes auparavant, à la gauche du véhicule de Seward. Puis il éteint la sirène.

— Police ! Est-ce qu'il y a quelqu'un ? hurle l'autre policier en contournant au pas de course le véhicule de Seward.

Le cœur battant, il inspecte l'habitacle quand il aperçoit une éraflure qui longe la carrosserie. Sur la portière côté chauffeur, il remarque le trou laissé par le rétroviseur arraché plus tôt par la voiture de Jarvis. Il abaisse sa lampe de poche vers le sol. Les profondes traces de pneus témoignent hors de tout doute qu'un véhicule s'est introduit à toute vitesse dans le sentier, écorchant au passage la voiture du FBI.

— Vite, vite ! crie-t-il à son collègue en pointant le sentier d'un mouvement de la tête. Une voiture a dû s'y enfoncer !

Baissant les armes, il revient aussitôt s'assoir dans le véhicule. L'autre agent, qui en était arrivé à la même conclusion, appuie sur l'accélérateur, lorsqu'il aperçoit l'énorme chêne sur sa gauche. Très vite, il comprend que leur grosse américaine ne réussira pas à se faufiler entre l'arbre et la voiture du FBI. Il freine et passe la marche arrière pendant que son collègue, survolté, appelle le central.

— Nous avons retrouvé le véhicule du FBI. Il est accidenté, mais il n'y a aucun agent à bord. Des traces au sol nous indiquent qu'un autre véhicule s'est enfoncé dans la forêt. Nous nous engageons dans le sentier. Nous demandons assistance ! Nous demandons assistance ! répète-t-il fébrilement avec un léger tremblement dans la voix, pendant que son collègue se débat toujours avec le volant pour aligner son véhicule perpendiculairement à celui de Seward.

Il y parvient enfin et repousse la voiture du FBI qui termine sa course dans le sous-bois, dégageant ainsi l'accès au sentier. Il s'élance à travers bois en actionnant de nouveau la sirène. Soudain, l'officier passager sent un regard sur sa nuque. Il se retourne vivement en tentant de percer les broussailles dans l'obscurité.

— Qu'est-ce qu'il y a ? s'inquiète son confrère.

— J'ai cru… non, ce n'est rien. Tu peux continuer.

À quelques mètres de là, tapis dans les hautes herbes, Neumann, essoufflé, observe la scène. Il sait fort bien que les policiers ne pourront pas s'enfoncer très profondément avec une voiture aussi large. Dès qu'elle s'est éloignée, il sort de sa cachette en titubant et entreprend une pénible retraite vers sa voiture. Il arrive enfin à la hauteur de sa Caprice classique enfouie dans les broussailles et s'abat lourdement sur le capot. Il reprend peu à peu son souffle, puis regagne son siège derrière le volant. Il démarre en prenant bien garde de ne pas allumer ses phares et s'engage lentement sur la route 622.

Une fois à l'abri, Neumann se range sur le bas-côté de la route, coupe le contact, fait basculer le dossier et s'installe confortablement dans son siège pour faire le point. Mais il est blessé et exténué. Loin de s'éclaircir, ses idées s'embrouillent, ses paupières s'alourdissent, ses yeux se ferment et il se laisse envahir bien malgré lui par une douce somnolence. Il se revoit alors aux abords de Wilkes-Barre, il y a un peu plus de dix ans, au volant de sa BMW…

11 ans plus tôt, sur l'autoroute 81 à Wilkes-Barre, Pennsylvanie…

Il n'y a pas âme qui vive à l'horizon. Seul à bord de sa BMW 8501 automatique deux portes, Neumann roule à vive allure dans la nuit sur une autoroute fraîchement goudronnée. Le temps est si doux en cette belle soirée d'automne qu'il a gardé sa vitre baissée. Détendu, il laisse pendre son bras à l'extérieur du véhicule et élève son regard vers le ciel étoilé, oubliant un moment ce qui l'amène dans ce coin de pays. Soudain, un cerf se dresse dans le halo de ses phares. Neumann attrape le volant à deux mains et freine brusquement. Au lieu de s'éloigner, l'animal apeuré se met à courir devant la voiture en zigzaguant. D'un geste désespéré, Neumann braque les roues vers la gauche et sa voiture dévie en travers de la route. Il appuie sur l'accélérateur et fonce sans hésiter en direction du fossé pour éviter de frapper la bête de son aile arrière. Les pneus crissent sur l'asphalte. Surpris, le cervidé dresse la tête et son museau esquive de peu le pare-chocs. Neumann a tout juste le temps de redresser les roues, empêchant ainsi sa BMW de verser. Puis il braque à fond vers la droite et longe la route sur le bas-côté de la voie de gauche, dégageant ainsi complètement la chaussée. Il freine et s'immobilise enfin sur le gravier dans un formidable nuage de poussière. Le cœur battant, il tourne la tête à la recherche de l'animal. Il l'aperçoit qui le regarde à travers la nuit, trônant en plein milieu de la voie. Neumann reprend son souffle quand un bruit de sirène et la valse lumineuse de gyrophares surgissent de la forêt, à quelque 500 mètres derrière lui. Le cerf détourne son regard en direction de ce nouvel intrus et s'enfonce en bondissant dans l'obscurité sécurisante de la forêt. Neumann se redresse sur son siège et observe dans le rétroviseur les gyrophares qui se rapprochent. Il s'agit d'une voiture de police qu'il a dépassée sans la voir quelques minutes auparavant tant elle était bien dissimulée sous le couvert forestier. Le véhicule ralentit, s'engage à sa suite sur la voie de gauche, puis roule sur l'accotement. La sirène s'éteint et les phares aveuglants s'immobilisent derrière lui, comme il le craignait.

Neumann plisse les yeux et pousse la languette de son rétroviseur pour placer le miroir en position de nuit. Il secoue la tête pour surmonter l'effet hypnotique des gyrophares et revient brusquement sur terre. Il s'empare fébrilement de l'exemplaire du *Citizen's Voice* de la veille qui trône sur le siège passager, replié autour d'un article qui rapporte la découverte du cadavre écorché d'une adolescente d'Altoona portée disparue depuis trois jours. Il le glisse vivement sous le siège. Au bout d'un moment, un officier s'avance vers lui. Le représentant de l'ordre longe la BMW et s'arrête peu avant d'arriver à sa portière dont la glace est déjà baissée. Neumann tourne aussitôt la tête dans sa direction. L'officier lui braque la lumière de sa lampe de poche en plein visage. Ébloui, Neumann grimace.

Le policier est déconcerté. Il vient de reconnaître le jeune homme qui, la semaine précédente, a prononcé une conférence sur la criminalité et ses origines et qui a distribué gracieusement le cahier de ses réflexions à la soirée de formation continue offerte par son département. Ce recueil occupait depuis lors toutes ses pensées. Il contenait une analyse percutante et courageuse de la société qu'il considérait comme l'ébauche de l'œuvre prometteuse d'un grand auteur.

— Bonsoir, Monsieur, bégaie l'officier, manifestement nerveux. Veuillez couper le moteur, s'il vous plaît.

Neumann tourne aussitôt la clef de contact.

— Puis-je voir votre permis de conduire et votre carte grise, s'il vous plaît ? poursuit le représentant de l'ordre d'un ton monocorde, pour dissimuler l'émoi qu'il éprouve à se retrouver face à l'auteur de son livre de chevet.

— Oui, bien sûr, Officier, répond Neumann, toujours aveuglé.

Pendant qu'il cherche à tâtons dans son portefeuille les documents demandés, le policier examine la banquette arrière de la BMW sur laquelle reposent une boîte remplie de dossiers et un tas de chemises judiciaires brunes datant des années soixante aux coins écornés.

— Tenez, dit Neumann en lui tendant ses papiers.

Tiré brusquement de son inspection, le policier éclaire le visage fraîchement rasé de Neumann, tout sourire dans son gilet recouvrant chemise blanche et cravate. Ce dernier plisse alors les yeux. L'officier saisit les papiers et disparaît dans le noir. Neumann entend claquer la portière de sa voiture. Il observe dans le rétroviseur le policier qui a pris place derrière le volant. Sous la lumière du plafonnier, il est en train de prendre la radio de la main gauche pendant que, de la droite, il dépose la carte grise sur un formulaire d'offre d'emploi d'adjoint que le shérif d'une petite ville du Maryland lui a personnellement adressé le jour où le poste s'est ouvert. Les deux hommes s'étaient rencontrés par hasard en Floride quelque quinze ans plus tôt, dans un salon de l'auto. Depuis, ils s'étaient liés d'amitié et se voyaient de temps à autre, quand l'occasion s'y prêtait.

Neumann ne peut s'empêcher de tourner la tête pour vérifier rapidement les dossiers sur sa banquette arrière qui viennent de faire l'objet d'une inspection. Rassuré, il se retourne et met de l'ordre dans son portefeuille. Puis il lève la tête et croise le regard de l'officier qui se tient debout devant sa portière. Surpris, il sursaute.

— Vous m'avez fait peur !

L'officier lui tend ses papiers sans mot dire. Neumann les saisit et les insère dans son portefeuille.

— Avez-vous consommé de l'alcool ? demande le policier.

— Non, pas une seule goutte, affirme Neumann avec un sourire satisfait.

Un peu trop satisfait peut-être, ce qui n'échappe pas à la vigilance de l'agent.

— Êtes-vous fatigué, avez-vous sommeil ?

— Non, pas du tout. Je me sens en pleine forme.

— Je vous ai vu zigzaguer…

— Oh ! J'ai dû éviter un chevreuil qui traversait la route. C'est pour cela que je me suis garé sur le mauvais côté.

Toujours imperturbable, le policier dirige son faisceau sur la banquette arrière. Ravi de ne plus avoir la lumière dans les yeux, Neumann sourit à l'agent.

— J'étudie le comportement criminel, en collaboration avec la police.

Le représentant de l'ordre observe en silence l'obligeant professeur qui ne bronche pas. L'agent éteint enfin sa lampe.

— Soyez prudent, gardez l'œil ouvert et bonne soirée, Monsieur.

— Merci, bonne soirée à vous aussi, s'empresse de conclure Neumann alors que l'officier est déjà en route vers son véhicule.

Les gyrophares puis les phares s'éteignent. Neumann tourne la clef dans le contact, remonte aussitôt sur la chaussée et disparaît dans l'obscurité.

*

* *

Quelque part sur la route 81…

Une quarantaine de minutes plus tard, éreinté, Neumann se déplace sur son siège pour déjouer sa fatigue quand il croise un panneau-réclame annonçant la présence d'un bar-restaurant à cinq kilomètres. Il se redresse et appuie sur le champignon. Exactement cinq kilomètres plus loin, un étroit parking de terre battue mal éclairé apparaît sur sa droite. Au fond, une gargote aux allures de saloon, à la façade de bois décapé par le temps, annonce la couleur de la clientèle. Neumann ralentit, met son clignotant et s'engage lentement sur le parking. Il longe un semi-remorque et range sa voiture à côté d'une rutilante moto Harley Davidson qui arbore, sur son réservoir d'essence, une jeune femme blonde en monokini. Neumann se retourne et fouille parmi les chemises éparpillées sur la banquette arrière. Il trouve enfin le portrait-robot d'un adolescent esquissé en 1964. Il le dépose sur le siège passager et recouvre la banquette crème d'une couverture de même couleur, dissimulant ainsi les papiers. Il étudie attentivement le portrait avant de le poser à l'envers sur le siège passager.

Il ouvre la portière et s'apprête à sortir, mais se ravise. Il glisse sa main sous le siège passager et en ressort le *Citizen's Voice*, toujours replié autour de l'article auquel Neumann doit sa présence dans le secteur. Il veut s'assurer que rien ne lui a échappé.

Hier matin, aux alentours de dix heures trente, deux jeunes randonneurs ont fait la macabre découverte du corps inanimé d'une adolescente d'Altoona âgée de quatorze ans, portée disparue depuis trois jours. D'après un spécialiste en scène de crime, la victime, qui a été retrouvée entièrement vêtue, n'aurait subi aucune forme de violence physique avant sa mort. Cependant, fait inquiétant, la dépouille n'avait plus de mamelons. Ils auraient été sectionnés après son décès.

À elle seule, cette information avait suffi à faire bondir Neumann la veille, après qu'il ait lu le même compte rendu dans le *Boston Herald*.

L'adolescente serait décédée peu de temps avant l'amputation en se noyant dans ses vomissures à la suite d'un coma éthylique. Selon l'enquêteur, l'individu responsable de cette mutilation serait un déséquilibré qui aurait découvert par hasard le cadavre de la jeune fille sur la berge avant les deux garçons qui ont alerté les autorités.

Nous avons également interviewé Jonathan Silverstone à son domicile. Cet ex-policier de la région, qui a travaillé à la criminelle de New York et qui a mené plusieurs enquêtes en collaboration avec des profileurs du FBI, a ajouté que, selon lui, cet individu n'en était sûrement pas à sa première mutilation, car les deux seins avaient été proprement découpés autour des aréoles. Il savait donc exactement ce qu'il faisait. De plus, le mutilateur avait prélevé les mamelons de la victime pour eux-mêmes, et non pas en guise de trophées de chasse ou de scalps, comme on dit dans le jargon policier, car il n'avait pas tué la victime ni abusé d'elle d'aucune façon.

Selon ce spécialiste, il ne serait pas surprenant que celui qui a commis un tel acte veuille coudre un des mamelons sur un sac plastique pour s'en faire une tétine, ou encore l'insérer à l'intérieur d'un sac de lait ou d'une bouteille d'alcool. Il pourrait également le garder en bouche et le mâchouiller avant de le recracher comme une vulgaire gomme à mâcher. Dans un tel cas, il ne serait pas surprenant de retrouver les mamelons de la jeune fille dans une poubelle publique ou devant son domicile. Enfin, il pourrait tout aussi bien les conserver dans un bocal rangé bien précieusement dans un placard de cuisine.

Après avoir terminé sa lecture, Neumann s'était emparé d'un crayon et avait griffonné à la hâte les grandes lignes de son analyse. Couper les seins, crever les yeux, découper le sexe, remplir le corps de feuillage. Tous ces éléments qui tournaient inlassablement en rond dans sa tête depuis tant d'années se mettaient soudain en place comme les pièces d'un casse-tête. Couper les tétines : s'approprier l'affection maternelle. Crever les yeux sans violer : se cacher de sa mère. Couper le sexe : abolir le plaisir narcissique. Remplir le corps de feuillage : empêcher la procréation. Arracher les cheveux : annihiler la féminité. Conclusion : sa victime n'est pas un objet sexuel interdit, mais un substitut maternel sur lequel il déplace sa rage. Tout cela s'accordait à merveille.

Ne tenant plus en place, Neumann avait littéralement bondi de son fauteuil et s'était mis à faire les cent pas dans le salon. Puis il s'était brusquement arrêté.

N'y va pas ! avait-il pensé.

*

* *

Neumann bombe le torse pour se donner du courage. Il remet le journal sous le siège, sort de son véhicule et se dirige d'un pas décidé vers le bar-restaurant. Il entre dans le hall et s'arrête. Un panneau indiquant *Choisissez-vous une place* fait office de maître d'hôtel. Sur sa droite, deux portes battantes en verre translucide cachent un saloon tapi dans l'ombre. Sans hésiter, Neumann y pénètre. Sur la gauche, un bar en bois recouvert d'un épais vernis longe le mur. Derrière, une femme dans la trentaine vêtue d'un short en jean ajusté et d'un bustier noir en dentelle frotte avec vigueur un verre déjà étincelant.

— Qu'est-ce que je te sers, mon chéri ?

Neumann balaie la pièce du regard. Il n'y découvre que quatre hommes et une jeune fille âgée d'une vingtaine d'années. Cette dernière se trémousse sur sa chaise en remuant sans cesse une paille dans son verre vide. Elle se penche et chuchote à l'oreille de l'un des deux hommes assis à sa table. Ce dernier, un quinquagénaire, opine du bonnet en replaçant sa casquette. Quatre tables plus loin, le troisième homme, dans la mi-trentaine, est attablé seul devant sa bière. Il roule les manches de sa chemise à carreaux en observant le parking à travers une fenêtre opaque. Neumann avance vers le bar et s'assoit face à la serveuse.

— Un *Tia Maria lait*, s'il vous plaît !

Ravie, la femme en mal de travail s'active sans perdre un instant. Neumann examine brièvement dans le coin arrière gauche le quatrième homme couché sur ses avant-bras devant un verre de whisky. Neumann n'aperçoit que son épaisse chevelure marron.

— Belle soirée d'automne, lance la serveuse en déposant sa commande devant lui.

La bouche entrouverte, elle passe une mèche de cheveux derrière son oreille en inclinant la tête, dévoilant ainsi son cou à son hôte.

— Oui, répond Neumann en se retournant vers elle.

Il lui sourit poliment et porte son verre à ses lèvres quand la porte des toilettes, situées au fond du bar à sa droite, s'ouvre avec fracas. À l'unisson, Neumann et la serveuse tournent la tête en direction du bruit. Un homme mince d'une quarantaine d'années, vêtu d'un pantalon et d'un blouson de jean, en surgit. Il se dirige lentement vers un verre vide au bout du bar, à quelques pas des toilettes. La serveuse se précipite vers lui. Neumann aperçoit alors le profil gauche du nouveau venu et remarque qu'il déplace quelque chose dans sa bouche. L'homme arrête de mâcher et une légère protubérance se forme sur sa joue gauche. Puis il recommence à mâcher. Neumann boit une gorgée pendant que l'individu hèle la serveuse d'une voix tonitruante, bien qu'elle soit juste devant lui.

— Un autre ! demande-t-il en secouant son verre vide.

La serveuse saisit une bouteille de whisky sur la tablette de verre qui couvre le mur sur toute la longueur du bar, dont le fond est recouvert de miroirs. Au même moment, la jeune fille éclate de rire. L'individu tourne subitement la tête vers elle, dévoilant ainsi son profil droit à Neumann. Ce dernier, qui s'apprêtait à savourer une autre gorgée, suspend brusquement son geste. Ses yeux s'écarquillent, son champ de vision se rétrécit et son visage devient livide. Il dépose lentement son verre sur le comptoir.

Cette vision sort tout droit de son enfance. Après toutes ces années, le portrait-robot ne lui rend pas justice, mais ce profil droit et la gestuelle ne laissent planer aucun doute dans son esprit. Se sentant soudain observé, l'homme tourne son regard en direction de Neumann. Perdu dans ses pensées, celui-ci a à peine le temps de détourner la tête. Ses doigts se crispent autour de son verre, puis il se tourne de nouveau vers l'homme et leurs regards se croisent pour la première fois. Neumann, dont le cœur bat à tout rompre, ne peut s'empêcher de le fixer droit dans les yeux. Son voisin arrête de mâchouiller, vide son verre de whisky, y baigne longuement le petit morceau rond qu'il promène dans tous les sens, le croque, penche légèrement la tête vers l'arrière et l'avale sans sourciller, le regard toujours rivé dans celui de Neumann. Il dépose bruyamment son verre vide et s'avance vers lui. Totalement pétrifié, Neumann le regarde s'approcher. Incapable d'envisager la suite des évènements, il serre si fort son verre que ses jointures blanchissent. Sans le quitter des yeux, l'homme arrive à sa hauteur, puis il le dépasse et se dirige vers l'individu couché sur ses avant-bras. Neumann file aux toilettes et vomit son dernier repas.

Penché au-dessus de la cuvette, il tente désespérément de se convaincre qu'il se trompe, mais il ne peut pas se soustraire à l'évidence. Il doit réagir, et vite. Il s'asperge le visage d'eau froide, essayant tant bien que mal de se ressaisir. Submergé par l'émotion, il est incapable de recouvrer son calme, malgré toute sa bonne volonté. Il sort des toilettes en titubant et réintègre le bar, la nuque tendue et le dos bien droit. Il s'efforce de garder les yeux au sol pour ne pas attirer l'attention, mais c'est plus fort que lui… il lève les yeux en direction de la petite table dans le fond à gauche. Elle est vide. Les sillons mouillés laissés par un chiffon témoignent de la tournure des évènements. À travers la vitre teintée, il aperçoit les feux arrière d'une fourgonnette qui quitte le parking ; l'un d'eux est fêlé. Neumann, dont les vertiges et autres symptômes se sont subitement volatilisés, songe à se précipiter à ses trousses quand il croise le regard de la serveuse à l'affût du moindre geste de ses rares clients. Il décide alors de réintégrer sa place, l'air dégagé. Il sourit à la serveuse et ingurgite lentement une longue gorgée. Puis il dépose son verre et se retourne en balayant la salle du regard d'un air le plus naturel possible. Il remarque les deux hommes, mais pas la jeune fille qui les accompagnait. Neumann saisit son verre et le vide d'un trait.

Quelques minutes plus tard, il négocie une courbe à bord de sa BMW sans freiner et fait crisser dangereusement les pneus sur le bitume. Il amorce une ligne droite quand il voit apparaître à l'horizon des feux arrière. Enfiévré, il appuie sur l'accélérateur. En à peine quelques minutes, il a déjà divisé par deux la distance qui sépare les deux véhicules. De l'endroit où il se trouve, il peut apercevoir un fin faisceau lumineux blanc jaillir du feu arrière droit. Pas de doute, il s'agit bien de la même fourgonnette. Il ralentit pour ne pas éveiller les soupçons lorsqu'une voiture surmontée d'un gyrophare scintillant bleu et rouge et à la sirène hurlante apparaît dans son rétroviseur. Furieux, Neumann frappe le volant avec la paume de sa main, met le clignotant et se range sur l'accotement. La voiture de police se rapproche à une vitesse folle. Avant même qu'il n'ait le temps de comprendre ce qui se passe, elle le dépasse dans un fracas assourdissant.

En moins de deux, la voiture de police rattrape la fourgonnette. Cette dernière ralentit et se range sur l'accotement à son tour. La voiture de patrouille s'immobilise derrière elle. Au bout d'un moment, un homme en uniforme en émerge et s'avance lentement vers la fourgonnette, une lampe de poche à la main. À mi-chemin entre les deux véhicules, le policier se retourne brusquement à l'approche de phares derrière lui. Il s'arrête, place sa main gauche sur son revolver et regarde la voiture qui roule trop lentement à son goût, vu l'absence de circulation sur les deux voies. Dès qu'elle arrive à sa hauteur, il jette un coup d'œil à l'intérieur partiellement éclairé par les phares de la voiture de police. Il reconnaît tout de suite Neumann qu'il a intercepté quelques heures plus tôt alors qu'il roulait vers le nord. Ce dernier est tellement absorbé par la fourgonnette qu'il ne semble pas remarquer l'agent qui l'observe pourtant intensément. Puis il le double et disparaît dans la nuit. L'officier rejoint la fourgonnette et frappe trois coups dans la glace avec ses jointures. La vitre se baisse aussitôt.

— Bonsoir, Monsieur. Savez-vous pourquoi je vous arrête ?

L'homme secoue la tête de droite à gauche, sans regarder en direction du policier. Ce dernier l'examine un moment sans broncher.

— Cette fourgonnette vous appartient ?

— Oui, répond le chauffeur qui commence à pâlir.

L'officier l'observe un moment en silence.

— Êtes-vous seul ?

— Oui.

— Veuillez sortir votre permis de conduire et votre carte grise, s'il vous plaît.

— Qu'est-ce que j'ai fait ?

— Vous avez le globe du feu arrière droit cassé.

L'interpellé se met alors à rire.

— Je peux très bien le réparer tout de suite si vous voulez, Officier…

— Robert Conway. Officier de la police de l'État de Pennsylvanie.

— Vous n'allez pas me donner une contravention pour ça ?

— Veuillez me donner permis de conduire et carte grise, s'il vous plaît.

— Vous n'allez pas me donner une contravention pour ça ?

— Je vais vous donner un avis de réparation de 72 heures.

— O.K. ! répond l'homme, soulagé, en tendant un permis de conduire tout écorné.

Le policier le saisit et reste interdit en voyant l'état pitoyable dans lequel il se trouve. Il redresse la tête et suit du regard les faits et gestes du conducteur. Ce dernier se débat nerveusement avec une tonne de papiers coincés entre le pare-soleil et le plafond de la fourgonnette.

— Je n'arrive pas à déchiffrer votre nom, lance le policier.

— Oh ! Bill, Bill Bill, lui répond le chauffeur en tendant sa carte grise qui se trouve dans le même état que son permis de conduire. Mon permis expire ce mois-ci et je vais en avoir un tout neuf. Cette fois, je vais l'insérer dans une pochette de plastique.

— Que transportez-vous dans votre fourgonnette ?

— Rien.

L'agent empoche les papiers, recule de deux pas et place sa main sur son arme.

— Veuillez couper le moteur et me suivre, Monsieur.

L'individu descend en prenant tout son temps.

— Veuillez vous diriger vers l'arrière de votre véhicule.

L'homme esquisse un sourire et passe devant le policier. Il se déplace lentement, comme s'il cherchait à gagner du temps. Le policier s'immobilise à l'arrière de la fourgonnette.

— Veuillez regarder vers moi, s'il vous plaît.

Bill obéit aussitôt. Le policier dirige le jet de lumière de sa lampe de poche directement dans ses yeux.

— Avez-vous consommé de l'alcool ce soir?

— Non, ment Bill sans broncher.

Conway ne lui a pas posé cette question pour savoir s'il a bu. En fait, il ne s'agit que d'une ruse pour l'éblouir afin de bénéficier de quelques secondes d'avance si une mauvaise surprise l'attend derrière les portes.

— Veuillez ouvrir, s'il vous plaît.

Le suspect saisit tant bien que mal la poignée et ouvre les portes sous le regard aiguisé du représentant de l'ordre.

— Reculez, s'il vous plaît.

Mis à part huit rouleaux de corde de chanvre encore sous emballage empilés dans un coin, l'officier ne décèle rien d'autre.

— Merci. Veuillez refermer les portes et regagner votre véhicule.

L'homme retourne nonchalamment prendre place derrière son volant en maugréant. L'officier repart vers sa voiture et revient quelques minutes plus tard en tendant les documents.

— Voici vos papiers et votre avis de réparation. Vous pouvez y aller, Monsieur. Bonne soirée.

Bill attrape le tout, dépose les documents pêle-mêle sur le siège à côté de lui et démarre sans demander son reste, sous le regard toujours aussi méfiant de l'agent Conway.

*
* *

Quelques kilomètres plus loin, Bill fonce dans la nuit, préoccupé par sa dernière rencontre. Il se laisse dépasser par une voiture, puis en croise une autre sans même s'en rendre compte. Derrière lui, des phares se rapprochent de plus en plus. Mais Bill ne porte pas la moindre attention au véhicule qui, maintenant, le talonne. Neumann, les mains crispées sur le volant, enfonce subitement la pédale de l'accélérateur et colle dangereusement le pare-chocs de la fourgonnette blanche. Un coup de vent envoie valser le portrait-robot dans les airs. Neumann quitte momentanément la route des yeux pour suivre la trajectoire de la feuille jaunie qui finit par atterrir sur le plancher. Lorsqu'il se concentre de nouveau sur la route, il est déjà trop tard.

Il heurte le pare-chocs de la fourgonnette. Bill absorbe le coup, ralentit et se gare. Désemparé, Neumann ralentit à son tour et s'arrête derrière lui. Bill jette un coup d'œil méfiant dans le rétroviseur. Il remarque les phares de style européen et comprend qu'il aura affaire à un richard au pied pesant plutôt qu'à un individu dangereux. Rassuré, il laisse monter toute sa rage, ouvre sa portière et avance dans la fraîcheur de la nuit, les poings fermés. Assis au volant de sa BMW, le jeune professeur, dont les idées se bousculent, garde les yeux rivés sur Bill. Ce dernier s'arrête à la hauteur du pare-chocs arrière de sa fourgonnette et y passe lentement la main sur toute la longueur. Son pare-chocs n'a rien, pas même une égratignure. Comme les deux voitures se déplaçaient dans le même sens, la BMW a davantage poussé la fourgonnette qu'elle ne l'a percutée. Bill se retourne vers le luxueux véhicule. Les phares l'aveuglent. Il lève son bras devant ses yeux pour se protéger de la lumière éblouissante. Immobile, il attend une réaction de Neumann, mais ce dernier ne bouge toujours pas. Enragé par le comportement du chauffard qui ne daigne ni le rejoindre ni même éteindre ses phares, Bill, dont la soirée ne se déroule pas du tout comme il l'avait prévu, se dirige droit sur lui. Il s'appuie sur le cadre de la portière dont la glace est restée baissée et soulève la poignée d'un mouvement brusque. La portière est verrouillée et résiste à l'assaut. Seule la lumière du plafonnier à déclenchement automatique s'allume, ce qui ne fait qu'aiguiser sa colère. Il se penche vers Neumann.

— Tu as failli défoncer mon camion ! Tu pourrais au moins sortir t'excuser !

Neumann évite de regarder Bill en face.

— Excusez-moi, répond-il sans la moindre conviction.

— Quoi ! Tu pourrais… rétorque Bill avec véhémence. Puis il ouvre grand les yeux. Ça va aller, se ravise-t-il sur un tout autre ton.

Il repart en courant vers son véhicule. Neumann aperçoit alors le portrait-robot qui repose bien en évidence sur le plancher de la voiture, juste sous la lumière du plafonnier. Tout en surveillant Bill en train d'ouvrir la portière de sa fourgonnette, il détache fébrilement sa ceinture de sécurité, bondit dehors et se rue vers lui. Sans hésiter, Bill glisse la main entre la banquette et le dossier et en extrait un revolver Magnum de calibre 38. Il a à peine le temps de le sortir de son étui que Neumann le saisit à la gorge. Bill lui décoche un formidable coup de genou en pleine poitrine et pointe son arme vers lui. Neumann tombe sur le sol. Sachant très bien qu'un individu surexcité n'a qu'une chance sur vingt-cinq d'atteindre sa cible, il se relève et se jette sur Bill qui fait feu.

La balle finit sa course sur l'asphalte. Neumann attrape la jambe de Bill, le fait tomber sur la banquette et saute sur lui. Bill tente de lui asséner un coup de crosse sur la tête, mais Neumann esquive la manœuvre, l'empoigne par le bras et frappe violemment sa main contre le volant. Terrassé par la douleur, Bill lâche son arme.

Neumann le saisit de nouveau à la gorge. Désespéré, Bill lui décoche une série de coups de poing dans les côtes. Neumann encaisse durement les coups et intensifie sa prise. Dans un ultime effort, Bill lui saisit les testicules et les serre de toutes ses forces. Neumann relâche sa proie et se recroqueville. Bill le repousse et cherche son arme à tâtons. Neumann se redresse péniblement, l'agrippe par les cheveux, glisse le bras sous son menton et, d'un geste puissant, tire sa tête vers l'arrière et lui brise le cou dans un son de vertèbres qui se disloquent.

Le corps de Bill tressaille et glisse mollement entre ses mains. Épuisé, Neumann s'affale sur le cadavre et se met à trembler avant de fondre en larmes…

De retour maintenant…

Un hurlement de sirène s'intensifie. Dans sa Caprice classique stationnée en bordure du Parc national de Shenandoah, Neumann se réveille en sursaut, agrippe son volant et se redresse sur son siège. Le cadran de son tableau de bord indique minuit quinze. Il reprend peu à peu ses esprits et aperçoit une nouvelle voiture de police qui arrive en renfort. Elle croise l'intersection à une vingtaine de mètres devant lui, sans même ralentir. Les gyrophares disparaissent au loin. Songeur, il reste un moment à fixer le vide, puis il démarre son véhicule et se fond lentement dans la nuit.

2

Samedi, 11 h, hôpital régional de Culpeper, Virginie…

Seward s'agite et cherche désespérément à ouvrir les paupières. La droite s'entrouvre enfin. Le dormeur reprend tranquillement conscience et ouvre complètement l'œil droit qui lui offre une vision embrouillée d'un plafond à la peinture terne. Il le referme aussitôt puis ouvre simultanément les deux yeux. Le décor n'est ni plus agréable ni plus chaleureux. Un néon, situé juste au-dessus de son visage, l'aveugle. Un mouvement sur sa gauche attire son attention. À travers un nuage, il aperçoit une silhouette qui remue sur une chaise. Seward cligne des yeux. Le décor est toujours aussi embrouillé. Il lève les bras et frotte ses paupières avec vigueur. Le bruit d'un tuyau en plastique qui frappe contre les barreaux de métal de son lit lui rappelle soudain où il se trouve. Il tourne la tête et croise les yeux de Jarvis. La jeune femme le regarde intensément, un livre à la main. Rassuré, Seward se rendort. Jarvis se replonge dans sa lecture.

… Depuis la réussite de Stanley Miller, il est bien connu que quiconque possède un laboratoire un tant soit peu élaboré peut créer à volonté les prémices de la vie, car celle-ci n'est rien d'autre que le produit de l'énergie sur la matière.

Concentrée, Jarvis tourne lentement les pages et s'arrête sur une note en marge: «La base». Elle reconnaît l'écriture de Seward et lit le passage qu'il a annoté.

Si nous envisageons la vie sous son aspect réel, dénué de toute faiblesse culturelle, nous réaliserons que l'Homme est régi par les lois de la nature et n'est rien d'autre qu'un animal. La morale doit donc s'appuyer sur des règles qui sont en harmonie avec ces lois…

Jarvis saute plusieurs pages et s'arrête sur un autre passage.

Puisque l'Homme se fait chasser et parasiter par d'autres êtres vivants, il doit donc vivre en collectivité pour se prémunir contre eux. La vie en société offre la stabilité qui lui permet d'assurer sa longévité et celle de sa famille. La stabilité en communauté s'obtient par la paix sociale, laquelle s'appuie sur l'équité, l'équité sur la morale et la morale sur les lois de la nature qui, elles, se manifestent dans l'instinct. En agissant de façon instinctive par l'application de nouvelles politiques morales, l'Homme pourra redécouvrir sa propre nature et assurer sa survie sur Terre.

Songeuse, elle lève la tête, consulte sa montre et reprend sa lecture.

Nul ne choisit de naître en ce monde. Il vous est imposé dès la naissance. Seuls vos parents ont choisi de vous y faire vivre. Vous ne pouvez donc pas être tenus responsables de ce qui s'y passe ni de ce que vous y subissez tant et aussi longtemps que vous ne faites pas d'enfants à votre tour.

… Freud disait que, malgré toutes ses prétentions, l'Homme ne met des enfants au monde que pour répondre à ses propres besoins, sans le moindre égard pour l'enfant. La guerre, la pauvreté, l'injustice sociale, la surpopulation qui l'attendent avant même sa naissance n'entrent pour ainsi dire jamais en ligne de compte dans la prise de décision des parents de mettre des enfants au monde.

Jarvis s'apprête à tourner la page quand son attention est retenue par une ligne manuscrite de Seward dans la marge : « Si tu n'écoutes pas la nature, tu t'épuises à la combattre. »

L'Homme a le choix de se conformer ou non à la nature. Nous pouvons la combattre et tenter de la soumettre, ce qui exige une dépense d'énergie de tous les instants, ou l'apprivoiser et en faire notre plus indéfectible alliée.

Jarvis se sent soudain observée. Elle lève les yeux et tressaille en apercevant Seward qui la regarde.

— Ça va ? demande-t-elle en esquissant un sourire.

Seward repose sa tête sur l'oreiller sans qu'un son franchisse ses lèvres.

— Tu as besoin de quelque chose ? De l'eau ?

Seward fixe deux balles de revolver enfermées dans un tube en plastique transparent sur la table de chevet. Jarvis suit son regard.

— Ils en ont récupéré deux sur le terrain et ils se sont dit que tu aimerais peut-être les garder comme porte-bonheur.

Seward ne bronche pas. Jarvis dépose le livre sur ses genoux, soulève l'ourson en peluche qu'elle a amené comme présent, attrape le journal qui gît sous l'animal et le brandit dans les airs.

— Tu as vu ça, Simon ? Tu es en première page. Le journaliste parle de nous en des termes on ne peut plus élogieux. Il titre : *Le* Tueur de la Belle au bois dormant *n'est plus*, lit-elle en élevant l'article à la hauteur des yeux de Seward.

Mais ce dernier reste toujours aussi imperturbable. Elle reprend sa narration.

— *Deux jeunes prodiges du FBI ont découvert un sordide temple souterrain où un monstre surnommé le* Tueur de la Belle au bois dormant *pratiquait des sacrifices humains*... On fait maintenant officiellement partie de l'équipe de Jamison. Il est même question de médaille. Et la tienne sera sûrement plus grosse que la mienne, termine Jarvis en arborant un large sourire.

Malgré tout l'enthousiasme qu'elle met à vanter ses mérites, Seward continue de fixer intensément les projectiles à travers le bocal transparent.

— Ces fleurs sont magnifiques. Est-ce le Bureau qui te les a envoyées ? reprend Jarvis dans une tentative de regagner l'attention du blessé.

Mais ce dernier ne réagit pas. Mal à l'aise, la jeune policière s'agite sur sa chaise.

— Préfères-tu que je m'en aille ?

Seward demeure muet. Jarvis baisse la tête et contemple le plancher. Elle jette un œil sur sa montre, replace le journal sous l'ourson et commence à se lever.

— Reste, Nicole... s'il te plaît.

Surprise, Jarvis relève la tête et suspend son mouvement. Seward fixe toujours les balles. Le cœur serré, elle se rassoit, croise les jambes et replonge le nez dans son bouquin.

— Il était dans ta voiture. Les policiers me l'ont remis, dit-elle en soulevant le livre de Neumann. Cet homme ramène tout au fondement même de la vie, de la naissance à la mort en passant par l'adolescence.

Elle tourne nerveusement les pages.

— Écoute ça. *Tout comportement humain, aussi pervers et abominable soit-il, prend sa source dans un instinct sain et totalement pur.* Tu entends ça, Simon ?

La narratrice observe son auditeur en espérant une réaction, mais ce dernier semble toujours aussi indifférent. Elle reprend son récit.

— *À titre d'exemple, la sodomie chez l'humain est un résidu de l'époque où la reproduction s'effectuait par le cloaque. De même, tuer trouve son origine chez les unicellulaires qui, dans les fosses volcaniques, devaient pour survivre dévorer leurs cadavres qui constituaient leur seule source d'énergie disponible. Cette faculté s'est transformée petit à petit en parasitisme puis en prédation qui, elle, s'est commuée en meurtre gratuit chez l'Homme.*

Jarvis tourne en éventail les pages du livre jusqu'à la dernière page. Elle n'y présente qu'une seule énigme en son centre.

— *Quelle est la seule et unique chose que l'Homme arrive à faire qu'aucun autre animal n'a réussi à ce jour*? lit-elle à voix haute.

Pensive, elle appuie son menton dans sa main, lève les yeux et marmonne pour elle-même.

— *Marcher.*

— C'est ma mère et ma sœur, lance Seward sans préavis.

Surprise, Jarvis tourne subitement la tête dans sa direction.

— Ta mère et ta sœur? Je ne vois pas trop le lien.

— Les fleurs, c'est de ma mère et de ma sœur, répète Seward en fixant toujours les balles.

Jarvis referme le livre.

— Elles sont venues te rendre visite?

Seward se tourne vers sa collègue.

— Non. Elles habitent trop loin. Elles me les ont fait livrer.

— C'est très gentil, il est magnifique ce bouquet.

Jarvis se lève, dépose le bouquin sur une pile formée de trois livres, d'un dépliant et de photocopies sur le syndrome de Stockholm qui reposent déjà sur la table de chevet. Puis elle se tourne vers Seward.

— Tu ne m'avais pas dit que tu avais une sœur. Où habite-t-elle?

— Chez mes parents dans le Maine. Ma sœur étudie à l'université, elle veut devenir ingénieur. Mon père travaille pour une petite compagnie forestière et est tout le temps parti. Ma mère est vendeuse dans une boutique de meubles.

— Seward, c'est irlandais ? Je n'ai pas souvent entendu ce nom.

— Non, il vient du Maine. D'aussi loin que mon père se rappelle, on a toujours habité dans le coin. Mes ancêtres y ont débarqué il y a très longtemps. Du côté de ma mère, j'ai du sang québécois…

— Québécois !

— Oui. Son père était policier et son grand-père aussi.

— Ça explique tout ! s'exclame Jarvis, narquoise.

— Qu'est-ce que tu veux dire ?

— Tu es un petit garçon à sa maman, d'où ton intérêt pour le FBI.

— Non, pas du tout.

— Je vois maintenant d'où viennent ton attitude rebelle et ton petit côté intrépide de coureur des bois. Monsieur le descendant d'Iberville, se moque Jarvis en riant.

— Qui ?… Arrête ça.

— Le fondateur de la Louisiane. Pas n'importe qui.

Seward entre dans le jeu et se met à rire. Une douleur à la hanche le ramène brusquement sur terre.

— Ne me fais pas rire ! Ça me fait mal partout.

Un long silence s'installe entre les deux agents. Seward reprend la parole d'un ton ému.

— Je suis vraiment content que tu sois là, Nicole.

Jarvis lui prend doucement la main, puis la relâche en rougissant. Elle enchaîne en ramenant une mèche de ses cheveux derrière l'oreille.

— Le Bureau a déjà identifié le tueur que t'as dégommé... enfin que... On a retrouvé ses vêtements et son portefeuille dans la grotte. Il s'appelait Thomas Donnel et avait un lourd casier judiciaire. Il a été arrêté pour agression sexuelle en 1983 et a purgé une peine dans un établissement pour mineur. Il a toujours refusé toute aide psychologique malgré ses résultats supérieurs à la moyenne aux tests de QI. Il était père d'un garçon de huit ans qu'il aurait eu avec une effeuilleuse d'un bar malfamé de Détroit. Bien qu'elle ait porté plainte contre lui à plusieurs reprises pour violence conjugale, plainte qu'elle finissait d'ailleurs toujours par retirer, c'est lui qui a fini par la quitter pour venir s'installer à Baltimore, à quelques rues à peine de l'endroit où il a kidnappé Laura Smith... sa dernière victime.

— Comment va-t-elle ?

— Mis à part un sérieux choc traumatique qui la marquera probablement pour le reste de ses jours, elle va bien. Elle n'a que quelques côtes fêlées et des ecchymoses un peu partout. Heureusement pour elle, les organes internes n'ont pas été touchés. Plusieurs équipes ont commencé à creuser sur les lieux et, déjà, ils ont déterré trois corps de femme en décomposition.

Seward regarde Jarvis droit dans les yeux. Elle ravale nerveusement sa salive, sachant très bien ce qu'il attend. Après un moment de silence, elle respire un bon coup avant de confirmer ses pires craintes.

— Judy Lee était l'une d'elles.

Seward tourne la tête. Jarvis poursuit son exposé.

— Donnel était un récidiviste. Ce violeur en série aurait commis son premier meurtre par peur de refaire de la prison. Je t'explique… Il y a quatre ans, il fut interrogé au sujet du viol d'une adolescente de son quartier, mais la plaignante a subitement disparu quelque temps après avoir déposé des accusations somme toute assez sommaires contre lui. On n'a jamais retrouvé son corps. Ne disposant pas d'autres preuves, les autorités furent dans l'obligation de retirer leurs accusations. C'est à partir de ce moment que Donnel se serait transformé en tueur.

Seward se tourne brusquement vers Jarvis.

— Un récidiviste ! S'il n'avait pas été relâché, toutes ces filles seraient encore en vie !

Jarvis le fixe un moment, puis reprend.

— Dans la grotte, on a retrouvé une série de pompes à gonfler le sexe, une tonne de revues pornographiques, une bible, des crucifix, un véritable arsenal d'armes blanches… et un flacon de Viagra.

— Je sais ce que tu penses, Nicole. Ce n'est pas nécessaire de tourner le couteau dans la plaie.

— Mais non, idiot ! En fait, j'avais raison sur le fond. Mais son médecin nous a rapporté ce matin qu'il ne lui avait jamais prescrit ce Viagra. Il s'agit d'une contrefaçon aux composantes douteuses qui se vend sur le marché noir. Il a tenu à préciser que, sur le plan physiologique, Donnel n'était pas du tout un impuissant… il s'était conditionné lui-même à le devenir. *En état d'hystérie, on devient ce qu'on croit être*, a-t-il ajouté. Il nous a ensuite confié qu'il lui avait déjà prescrit une dose massive de citrate de *sildénafil*, la composante active du Viagra, et que, malgré l'apparition d'érection, Donnel était incapable d'éprouver le moindre plaisir. Il lui avait donc fortement recommandé de s'inscrire à un programme d'aide, ce que bien sûr il n'a jamais fait. Donnel nourrissait un jardin secret composé de fantasmes de toute-puissance qui faisait de lui un horrible monstre à la recherche de domination. Il allait chercher son plaisir dans une violence de plus en plus extrême envers ses victimes, d'où sa lente progression du viol vers le meurtre. Voilà le topo.

Seward secoue la tête en pinçant les lèvres. Un silence s'installe entre les deux amis. Jarvis regarde de nouveau sa montre puis se tourne fébrilement vers le livre de Neumann qui l'attend bien sagement sur la table de chevet. Elle le saisit et revient placer ses deux avant-bras sur le garde de métal du lit de Seward. Mine de rien, elle tourne les pages devant son nez et s'arrête à la dernière page.

— *Quelle est la seule et unique chose que l'Homme arrive à faire qu'aucun autre animal n'a réussi à ce jour?* Tu sais de quoi il s'agit?

Seward fait la sourde oreille et fixe toujours le vide, perdu dans ses pensées.

— C'est ce qui fait sa spécificité en tant qu'espèce, j'imagine, poursuit Jarvis.

— Un récidiviste, répète Seward d'un air dégoûté.

— *Se tenir debout*! C'est ça! s'exclame Jarvis qui tente d'adjoindre Seward à sa réflexion.

— Quoi? Non! Des tas d'animaux le font, comme l'ours ou le kangourou, rétorque Seward, répondant enfin à son invitation.

— *Analyser l'environnement*?

— Tu veux rire ! C'est la base même de la survie chez toute forme de vie. J'y ai beaucoup réfléchi, j'ai pensé à *Parler*, mais le perroquet émet des sons aussi bien articulés qu'un humain. Le langage se retrouve chez une multitude d'espèces, dont l'oiseau. *Résoudre des opérations complexes*, mais...

— Le dauphin, Simon, est capable de prodiges en matière de résolution de problèmes. Je dirais plus *Penser*, c'est-à-dire former une idée, une image dans son esprit. Mais le corbeau est capable de résoudre un problème comme casser une noix en imaginant la faire écraser par une voiture.

— *Créer des outils*, tente Seward.

— Non, les singes se servent entre autres de pailles à termites et de pierres ouvre-graines. La *Mémoire*, mais l'éléphant en a une prodigieuse.

— *Construire*... mais le castor érige des barrages à rendre jaloux le plus féru des ingénieurs. *S'instruire*, *Étudier*, *Apprendre* ?

— Non, Simon. Les bactéries et les virus apprennent mieux que nous. *Inventer* !

— Les animaux inventent des défenses qui leur sont propres.

— *Simuler* !

— Certains oiseaux, Nicole, simulent une aile cassée pour éloigner un prédateur de leur couvée.

— *Innover* ! relance Jarvis, agacée.

— L'orang-outan ouvre sa cage et est capable d'opérations innovatrices qui dénotent une intelligence supérieure. Je n'arrive pas à trouver la solution à cette énigme. C'est fou ! Les animaux sont capables de tous les verbes d'action qu'on retrouve dans le dictionnaire : *crier*, *chanter*, *pleurer*, *marcher*, *courir*, *tenir*, *apprendre*, *se redresser*, *penser*, *créer*, *construire*, *imaginer*, *s'instruire*, *inventer*, *simuler*, *parler*, *innover*, *s'outiller*… Je ne trouve pas. Je ne sais pas…

— Neumann veut peut-être tout simplement dire *Aimer*, propose Jarvis en triturant les pages du livre.

— Non, tu oublies les couples d'inséparables qui ne se quittent jamais ou presque. D'autres oiseaux vont même jusqu'à offrir des pétales de fleurs à l'élue de leur cœur. Tu vois, les animaux sont même capables de romantisme !

— Je ne sais pas alors. *Prier*, *Adorer un dieu*, *Vénérer les morts*, énumère Jarvis qui commence à s'impatienter et qui regarde sa montre pour la énième fois.

— L'éléphant a des cimetières où il se recueille sur les ossements de ses ancêtres. Non, c'est plus subtil que ça, Nicole. Il n'y a qu'une seule et unique chose que l'Homme arrive à faire qu'aucun autre animal n'a réussi à ce jour.

— Cet homme est vraiment dur à suivre.

Seward la toise d'un air réprobateur. Embarrassée, Jarvis penche la tête, consulte de nouveau sa montre et pousse un grand soupir. Elle referme le livre, le dépose sur la chaise et revient au chevet de Seward.

— Neumann possède une réplique du *Saturne* de Goya dans son bureau, lance Jarvis en attaquant subitement le sujet sous un angle nouveau.

Interloqué, Seward la dévisage de plus belle.

— On se serait cru dans le château d'Herman Webster à Chicago, dans les années 1800. Je ne pensais pas sortir de là vivante. Le *Saturne* de Goya en train de dévorer sa progéniture, c'est une bravade qu'il lance au visage des gens qui le visitent, poursuit Jarvis avec ardeur, tandis que Seward tourne la tête. Neumann tient un orphelinat et affiche un ogre à la vue de tous. Cet homme est doté d'un esprit cynique. Regarde-moi quand je te parle, Simon, ordonne Jarvis à mi-voix pour ne pas ameuter le personnel qui passe dans le couloir.

Seward reste impassible. Pour la centième fois, Jarvis regarde l'heure, puis prend une grande inspiration.

— Bon, écoute-moi bien attentivement, Simon, le presse la jeune policière qui voit le temps filer. Le sénateur Bighter a rouvert les yeux ce matin et, pour la première fois depuis sa chute samedi soir dernier, sa femme a rappelé ses avocats et demandé à voir Jamison. Ce qui veut dire qu'elle est prête à collaborer. Il est aussitôt parti la rencontrer avec Castelli. Dès qu'ils en auront fini avec elle, ils doivent me rejoindre ici. Ils ne devraient donc pas tarder à arriver. Tu sais ce que ça veut dire ?

Seward ne réagit toujours pas. Stressée, Jarvis enchaîne.

— Il faisait noir cette nuit et il est vrai que je ne l'ai pas vu. Mais nous savons tous les deux qui était là-bas. J'ai pu me défiler jusqu'à maintenant et je n'ai pas encore transmis de rapport. Mais quand Jamison franchira cette porte, ce sera une tout autre histoire. Il t'a sauvé la vie, n'est-ce pas ? Si tel est le cas, je lui en serai éternellement reconnaissante…

Seward se tourne vers elle.

– … mais il nous faudra raconter ce qui s'est passé. Il est évident que tu souffres d'une sorte de syndrome de Stockholm, si je me fie à la documentation qu'on t'a laissée sur la table de chevet. Mais, tôt ou tard, il faudra raconter notre histoire et il faut que je sache où tu te situes et jusqu'où tu veux que j'aille. Tout ça n'est pas très net dans ma tête et, s'il faut se préparer, il faut le faire maintenant. Car ça peut avoir de graves conséquences et je... j'ai feuilleté son livre et... tout ça sent très mauvais. Il faut que je sache, Simon, et je...

— Je t'aime, Nicole.

— Quoi ! s'exclame Jarvis, abasourdie.

— Je t'aime.

— Mais tu as reçu une balle dans la tête ou quoi ? C'était lui qui était là, c'est bien ça, Simon ? Tu l'as vu ? Réponds-moi ! Tu dois me répondre.

Seward prend une grande inspiration et tourne la tête.

— Nom de Dieu ! Ce n'est pas vrai ! Ce dingue est un véritable danger public.

— Ne l'appelle pas comme ça ! rugit Seward en se retournant vers elle.

Furieuse, Jarvis fait un bond en arrière, attrape le livre de Neumann, revient vers le lit et se met à le feuilleter fébrilement.

— *Il est vital pour l'Homme de se rééquilibrer avec la nature. L'intelligentsia ne peut plus faire fi de la réalité et doit se conformer coûte que coûte aux lois de la nature*, lit-elle à haute voix, les dents serrées, avant de tourner violemment les pages.

— Fais attention, tu vas les déchirer.

Jarvis malmène le livre de plus belle, jusqu'au passage qu'elle souhaite balancer à Seward.

— *Les individus sont en droit d'attendre de leur élite qu'elle leur procure la possibilité de vivre épanouis.* Et plus loin : *L'implication sociale de la psychanalyse dans le monde politique est impérative. Une poignée d'hommes exaltés, au pouvoir économique totalitaire, vampirisent la population prisonnière d'un système capitaliste désuet…*, poursuit-elle en tournant encore quelques pages. Tiens, écoute ça ! *La mutilation réflexe se pratique couramment dans la nature, dont les lois sont impitoyables. L'Homme a le choix de la combattre ou de l'apprivoiser et en faire son plus indéfectible allié spirituel*, termine la jeune femme folle de rage en faisant claquer la couverture.

D'un geste colérique, elle lance le livre qui retourne bien malgré lui sur la chaise et se passe la main sur le front.

— Si cet homme a commis tous ces meurtres en se baladant à travers la planète, seul à décider qui méritait de vivre et qui allait mourir, alors oui, c'est un dingue et il est plus menaçant que tout l'axe du mal au complet, comme dirait notre président !

— Des pédophiles, des gens qui maltraitent les enfants, des récidivistes… c'est ça tes victimes ? Ce débile et sa grotte, ce Donnel… c'est ça qu'on doit protéger ?

— Ce mec a découvert la planque de Donnel à l'aide d'un chien pisteur de cadavres. Merde, Simon ! Ça fait des semaines qu'il était au courant que des meurtres étaient perpétrés sur ce lopin de terre et il n'a rien fait. Il n'a pas signalé sa trouvaille aux autorités. Non. Au lieu de cela, il a acheté le terrain et a attendu patiemment que leurs agendas coïncident et que Donnel revienne sur les lieux avec une nouvelle victime. Nom de Dieu ! Juste de penser à cela me donne froid dans le dos. Si ça se trouve, Simon, cette pauvre Judy Lee est morte juste parce qu'il n'a pas agi à temps. Tu as réfléchi à ça ?

— Ah ! Je croyais qu'elle était morte parce que notre système judiciaire avait relâché un fou furieux du nom de Donnel dans les années 1980 alors qu'il était incarcéré pour viol ! balance Seward d'un ton sarcastique.

— Cet homme se prend pour un Saturne tout-puissant qui dispense paix et abondance le jour et qui s'octroie le droit, la nuit venue, de se transformer en Mister Hyde, de tuer ses semblables et de pratiquer le sacrifice humain pour arriver à ses fins.

— Il ne s'identifie pas à Saturne, Nicole, mais plutôt à l'enfant que ce monstre dévore petit à petit. Neumann est Jupiter, l'enfant qui a échappé au massacre et qui va aider les autres enfants à survivre… voilà ce que représente cette fresque pour lui. S'il garde ce tableau, c'est pour se rappeler qu'il y a une multitude d'enfants qui souffrent et qu'il doit tout faire pour les tirer des griffes de ce monstre. Il se sent coupable de les laisser entre les mains de leurs bourreaux. Il honore sa théorie, ni plus ni moins, voilà ce qu'il fait. De la théorie à la pratique.

— Mais où vas-tu chercher tout ça ? C'est le chaos qu'il prône.

— Non, Nicole, il ne prône pas le chaos.

— Le chaos, Simon, et rien d'autre !

— Il prône l'action contre le chaos semé par ces bourreaux et lutte contre la tolérance et l'indifférence dont ils bénéficient.

— Les tueurs trouvent toujours de bonnes excuses pour assouvir leurs désirs sadiques…

— Mais quel plaisir en retire-t-il ? J'ai essayé depuis le début de le *diaboliser*. Ne fais pas la même erreur que moi, Nicole.

Stupéfaite, Jarvis durcit le regard.

— Fais attention à ce que tu dis, Simon, tu t'aventures sur un terrain extrêmement glissant. Cet homme t'a sauvé la vie alors que tu rêvais de lui faire la peau. C'est bien ça ? Si tel est le cas, je suis certaine que j'arrive à peine à imaginer toute la culpabilité que cela doit engendrer en toi. C'est normal que tu sois bouleversé et que ton jugement le concernant soit passablement altéré. Si tu veux un bon conseil, Simon, quand Jamison sera là, garde tes états d'âme pour toi, car je ne crois pas que de plaider le syndrome de Stockholm te sera d'un grand secours.

Un long silence s'installe entre les deux agents et l'inquiétude se lit maintenant dans les yeux de Jarvis.

— Nous faire prendre conscience de qui nous sommes vraiment… tout risquer pour les enfants qui représentent l'avenir de notre espèce. C'est comme ça qu'il voit les choses, Nicole.

— Quoi ! Qu'est-ce que tu racontes ? Le problème avec ton super-héros, Simon, c'est que ses aventures ne se déroulent pas sur écran géant. Ressaisis-toi, merde ! T'es un agent du FBI. Tu n'es plus sur les bancs d'école. Tu n'es pas là pour philosopher, mais pour arrêter des meurtriers afin qu'ils soient jugés selon les lois en vigueur dans le pays, point final !

— Tous les policiers et intervenants sociaux du monde savent que les délinquants ont tous eu une enfance déficiente et que plus de 70 % des criminels qu'on relâche dans la communauté vont récidiver et tuer plusieurs innocentes victimes avant qu'on les remette derrière les barreaux. Et pourtant, on ne fait rien, absolument rien pour que cela change. Tu trouves que c'est une conduite très morale, toi ?

— Là, tu vas trop loin, Simon. Je vais faire comme si je n'avais rien entendu.

— T'es-tu déjà demandé pourquoi le FBI ne reçoit plus un sou du gouvernement pour poursuivre la recherche sur le profilage et l'étude du comportement, alors que c'est précisément cela qui l'a fait rayonner à travers le monde ?

— Non ! J'avoue que je ne me suis jamais posé la question. Et je ne crois pas que je veuille le savoir, bien que je sens que tu vas tout de même me l'apprendre, rétorque froidement Jarvis en croisant les bras.

— Tant qu'ils se contentaient de compiler des statistiques sur les tueurs, tout allait bien. Mais le jour où ils ont commencé à rechercher l'origine des comportements criminels, le gouvernement a cessé progressivement de les financer avant que cela ne devienne trop engageant. Voilà pourquoi développer le profilage ne constitue plus une priorité au FBI. Avec pour résultat que, de nos jours, le BSU se résume en un groupe de techniciens spécialisés en compilation de données qui ne cherchent qu'à arrêter les criminels, pendant que nos directeurs se sont transformés en véritables petits bureaucrates à la solde des élus de Washington… Tu vois, tu l'as dit, Nicole, notre travail se borne à enquêter afin de retracer et capturer les meurtriers.

— Écoute, Simon, l'exposition à un évènement traumatisant comme une fusillade, suivie d'un sauvetage par un suspect, peut provoquer des réactions de toutes sortes : l'isolement, le repli sur soi, le rejet de la société, mais aussi de brèves crises de délire paranoïaque… Chez certaines personnes, ces réactions peuvent s'échelonner sur plusieurs mois et, parfois même, transformer leur vie pour toujours. Reviens-moi vite, Simon, chuchote tristement Jarvis en baissant les yeux.

Des bruits de pas lourds venant du couloir les interrompent. Tirée brusquement de ses pensées, la jeune femme lève les yeux vers la porte grande ouverte. Puis elle se tourne vers Seward, lui saisit la main et la serre entre les siennes avec un tendre sourire.

— Laisse-moi parler, ça va aller, l'enjoint-elle, un trémolo dans la voix.

— Je n'ai qu'à…

— Chut, Simon, il est trop tard.

Émue, elle presse les doigts de Seward et a tout juste le temps de retirer ses mains que Jamison franchit la porte. Il est suivi de Castelli qui porte une mallette et une boîte de chocolats. Jamison s'avance vers Jarvis.

— Comment va-t-il ? demande-t-il en s'adressant à elle comme si Seward n'était pas là.

— Il se porte bien, Monsieur, mais je crois qu'il a encore besoin de repos, répond habilement Jarvis à voix basse.

— Oh ! Je vois. Mais nous ne serons pas longs. Après, il pourra dormir toute la semaine s'il le veut, on ne le dérangera plus.

Castelli s'installe de l'autre côté du lit, dépose sa mallette et brandit dans les airs la boîte de chocolats avant de la poser sur la tablette au pied du lit.

— Comment ça va ? Tu peux parler ?

— Oui, je peux parler, ça va bien, merci... un peu fatigué, mais je me sens bien.

— Félicitations ! lance Castelli, fier de sa jeune recrue.

— Merci.

Jamison jette un coup d'œil sur la chaise derrière lui.

— Je vois que vous avez lu les journaux. Vous êtes un véritable héros maintenant. Vous allez occuper une place prépondérante au sein de notre équipe...

— J'ai eu de la chance, c'est tout. Et je n'aurais pas réussi sans l'agent Jarvis, l'interrompt Seward.

Un silence s'installe dans la pièce. Au bout d'un moment, qui paraît une éternité à Jarvis, Jamison reprend la parole.

— Bien. À l'avenir, je tâcherai d'être moins sévère afin d'éviter que mes jeunes enquêteurs ne se jettent dans la gueule du loup en pleine nuit sans demander le support d'une équipe tactique.

Jarvis se tourne vers Seward. Ce dernier, ébahi, attend la suite en fixant Jamison.

— Nous sommes tous très fiers de toi, Simon, lance alors la jeune femme, comme si elle n'avait pas compris le reproche à peine voilé de son supérieur à leur endroit.

Jamison contemple la nuque de Jarvis, les yeux écarquillés. Castelli sent monter la tension et tousse discrètement.

— Pardon, dit-il en sortant un bloc-notes de sa mallette.

Tous les regards se tournent vers lui, allégeant ainsi l'atmosphère. Jamison s'adresse alors à la policière dont il n'a pas oublié la dernière bravade.

— Jarvis, vous avez dit aux premiers policiers arrivés sur les lieux que l'homme qui s'était sauvé dans les bois s'était dirigé vers le sud. Or, les traces de sang trouvées sur les lieux indiquent clairement qu'il se dirigeait plein nord. Vous les avez induits en erreur ?

— Tout s'est déroulé tellement vite, Monsieur. Il faisait noir, j'ai pu me tromper, rétorque la jeune policière d'un air naïf, en cachant son malaise.

Jamison la scrute attentivement, puis tend la main en direction de Castelli qui lui passe le bloc-notes.

— Vous avez dit ce matin à vos confrères que vous étiez dans le Parc national de Shenandoah. Or, après vérification auprès des autorités policières du parc et de vos confrères sur les lieux, il parait évident que ce terrain est privé et qu'il n'appartient pas à l'État.

— Je n'y ai pas porté attention, excusez-moi.

— Il y avait pourtant une pancarte indiquant PRIVÉ à l'entrée de la route menant à la grotte.

— Je ne l'ai pas vue, ment Jarvis maladroitement.

— Votre voiture a pourtant roulé dessus, les traces de vos pneus y ont été trouvées. De plus, quelqu'un l'aurait déterrée auparavant.

— Oui, oui, je me rappelle maintenant, j'ai bien vu cette pancarte et c'est moi qui l'ai déterrée. Mais, vous savez, je me suis enfoncée tellement profondément dans la forêt que je croyais avoir dépassé les limites des terrains privés et être entrée dans le parc. Puis, j'ai entendu des coups de feu et je n'y ai plus repensé, se défile tant bien que mal Jarvis.

Jamison jette un œil à Castelli qui fixe Jarvis d'un air incrédule. Il comprend que son bras droit ne croit pas plus que lui à cette histoire.

— Me cachez-vous quelque chose, Agent Jarvis ?

La question fait sursauter la jeune policière dont la sueur se met à perler sur le front. Elle regarde Jamison droit dans les yeux.

— Non, pas du tout, Monsieur.

— Je suis passé…, enchaîne Jamison.

— Je l'ai appelée sur son portable pour lui demander de venir me rejoindre au plus vite, l'interrompt Seward pour la seconde fois, à la rescousse de sa jeune amie.

— Que faisiez-vous là ? Jarvis m'avait indiqué que vous étiez aux abords de Chester Gap. Comment se fait-il que vous vous soyez retrouvé à la hauteur de Washington ? rétorque Jamison qui commence à s'impatienter, les yeux rivés dans ceux du jeune policier alité pour qui il avait su jusqu'alors garder un peu d'empathie.

— J'ai roulé dans le noir en fouinant un peu partout et je me suis arrêté là par hasard, répond Seward qui ment encore plus mal que sa collègue.

— Vous avez eu un flair immense…

Jamison suspend sa phrase pour provoquer une réaction chez son subordonné. Voyant que ce dernier ne bronche pas, il poursuit…

— Avez-vous vu la personne qui s'est sauvée dans les bois ? Pourriez-vous l'identifier ?

Jarvis pivote sur elle-même et fixe intensément Seward droit dans les yeux. Un long silence s'installe.

— Non, Monsieur, murmure enfin Seward.

— Que faisait-il là ? S'agissait-il d'un complice ?

— Non, Monsieur !

— Comment pouvez-vous être aussi catégorique ? questionne Jamison, intrigué par la célérité de sa réaction.

— Il m'a sauvé la vie.

— Il pourrait avoir simplement décidé de changer de camp pour sauver sa peau.

Seward baisse les yeux.

— Est-ce que vous savez à qui appartient ce terrain ? poursuit Jamison qui ne lâche pas le morceau.

Le chef consulte son bloc-notes en attendant la réponse du policier.

— Non ! répondent en chœur Seward et Jarvis.

Jamison lève immédiatement les yeux sur ses subalternes un peu trop prompts à répondre.

— Ce n'est pas grave, nous avons demandé au Bureau de vérifier. Ils devraient nous appeler d'une minute à l'autre.

Le portable de Castelli résonne dans la pièce.

— Agent spécial Castelli… Oui… oui…

Il fait signe à Jamison qui lui tend le bloc-notes. Il sort un stylo et griffonne fébrilement pendant que Jamison scrute de plus belle ses jeunes enquêteurs.

— Avez-vous croisé quelqu'un dans la soirée qui pourrait nous aider ou qui aurait vu quelque chose ?

— Non, Monsieur, personne, répond mécaniquement Jarvis pendant que Seward contemple le drap qui recouvre ses pieds.

Castelli raccroche.

— Ça y est ! Nous avons le nom du propriétaire du terrain.

Seward et Jarvis se raidissent.

— Il s'agit d'une dame, une certaine Nadia More. Elle habite au Texas.

— Communiquez avec notre Bureau de Houston et demandez-leur d'aller rendre visite à cette dame, commande Jamison à Castelli qui a déjà commencé à composer le numéro avant même que son patron n'ait terminé sa phrase.

Jamison se tourne vers Jarvis.

— Au fait Jarvis, vous ne deviez pas rencontrer Madame Michelle Darc hier soir pour faire des prélèvements sur la petite de l'orphelinat, Julie Davis ?

— Oui, Monsieur.

— Qu'est-il arrivé… l'avez-vous rencontrée ?

— J'ai…

— Ils vont faire le relais et me rappeler dès qu'ils auront des informations sur la dame, lance Castelli en refermant son portable.

Jamison lui fait un signe de tête, puis regarde de nouveau Jarvis.

— Alors, je vous écoute.

Désemparée, Jarvis se retourne vers Seward qui fixe toujours le drap. Comprenant qu'elle devra s'en sortir seule, elle prend une grande inspiration et se lance.

— J'ai…

Le portable de Castelli l'interrompt.

— J'ai…, balbutie Jarvis.

— Vous avez quoi ? reprend Jamison de plus en plus impatient.

— J'ai…

Le regard de Jamison dévie vers la table de chevet où gît une pile de documents.

— Mais qu'est-ce que c'est ? De la documentation sur le syndrome de Stockholm ? questionne Jamison en pointant la table du doigt.

Seward et Jarvis sentent leur sang se figer.

— Craig, allumez la télé, ordonne Castelli, soudain livide.

— J'ai…, tente encore une fois Jarvis.

— Un moment Jarvis, passez-moi la télécommande.

Soulagée, elle pousse un soupir, attrape la télécommande sur la table de nuit et la remet à Jamison qui la pointe vers le poste de télé situé au fond de la pièce, à moins d'un mètre de la porte.

— Mets ça à CNN, commande sèchement Castelli.

— Que se passe-t-il ? interroge Jamison, inquiet.

— Neumann a convoqué la presse devant le palais de justice de Baltimore, répond Castelli, toujours au téléphone.

L'écran s'allume sur une scène en plein air.

*

* *

11 h 45, monument de la Bataille devant le palais de justice Clarence M. Mitchell Jr, Baltimore…

Neumann s'avance vers les journalistes, le dos bien droit et le sourire aux lèvres. Il est vêtu d'un costume-cravate bleu marine sous un manteau de laine de même teinte. On peut voir une légère brûlure au-dessus de son oreille droite. Il se fraye un chemin à travers l'attroupement et se campe dos à la clôture de fer forgé noir qui entoure le monument de la Bataille érigé devant le somptueux palais de justice de Baltimore en l'honneur des combattants morts sous le feu des Britanniques en septembre 1814.

— Vous avez répondu en grand nombre à mon invitation et je vous en remercie. Si je vous ai convoqué ici en ce magnifique samedi matin d'automne, c'est pour cela ! lance-t-il en brandissant dans les airs un exemplaire du *Washington Post* dont la une fait l'éloge des agents Seward et Jarvis. Hier soir, alors que j'arpentais paisiblement mes terres, j'ai soudainement essuyé le feu nourri d'un inconnu armé jusqu'aux dents.

— Oh ! s'écrient quelques journalistes, surpris.

— Mais, ne vous inquiétez pas, à l'évidence je suis encore vivant.

Les journalistes se mettent à rire.

— Cependant, je vous laisse deviner ma stupéfaction quand j'ai vu le visage de mon assaillant ce matin dans le journal. La surprise fut double lorsque j'ai lu sous sa photo que mon agresseur n'était nul autre qu'un agent du FBI, l'agent Simon Seward... cet homme ! accuse haut et fort Neumann en agitant la photo de Seward à la hauteur de sa tête afin que les photographes et les caméramans puissent immortaliser la scène. C'est cet homme qui m'a blessé à la tête, précise-t-il en pointant son index au-dessus de l'oreille droite, tourné vers les projecteurs pour leur permettre de bien cadrer la plaie. Heureusement pour moi, l'agent Seward n'a pas dû être admis à l'Académie pour ses talents de tireur, et j'en suis fort aise.

Les journalistes rient de plus belle. Quand il sent les rires s'estomper, il reprend.

— Bien sûr, mes avocats aimeraient que j'intente une poursuite en réclamation exemplaire de 50 millions de dollars pour dommages et intérêts, violation de propriété privée, agression armée sans mandat contre un citoyen, tentative de meurtre, perte de quiétude, séquelles physiques, non-assistance à un citoyen en danger, traumatismes psychologiques, et cetera, et cetera, et cetera. Après avoir entendu leurs doléances, j'ai pesé le pour et le contre... et je me suis laissé tenter par la voix de la raison. Je me contenterai donc d'une médaille du FBI, à condition qu'elle soit aussi grosse que celle que doit recevoir mon assaillant. Ça nous épargnera bien des tracas. Ce fut une épreuve suffisamment traumatisante comme ça, je crois qu'il est inutile d'en rajouter... Avez-vous des questions ?

Des rires fusent ça et là, puis les mains des journalistes se lèvent toutes en même temps.

— Oui, Madame !

— Monsieur Neumann, êtes-vous celui qui a mis fin aux jours de Thomas Donnel, surnommé le *Tueur de la Belle au bois dormant*, en lui écrasant la tête entre deux pierres ?

— On ne donne pas de médaille pour cela… je préférerais que vous titriez que je suis celui qui a sauvé la vie de… attendez, comment s'appelle-t-il déjà ? rétorque Neumann en faisant semblant de chercher le nom de Seward dans le journal. Ah oui ! L'agent Seward. Ça m'ouvrirait plus facilement les portes.

Neumann pointe du doigt un autre journaliste.

— Avez-vous vraiment tué cet homme de vos propres mains ?

— J'ai déjà répondu à cette question.

Neumann lève le menton en pointant un troisième journaliste.

— Il était aux alentours de vingt-trois heures lors des évènements et votre terre se trouve en pleine forêt, au beau milieu de nulle part. Que faisiez-vous là à une heure aussi tardive ?

Neumann reste interdit un moment.

— Si les gens du FBI sont aussi tatillons que vous, je crois que, tout bien considéré, je n'irai pas les rencontrer tout de suite. Je vais mettre une croix sur ma médaille, lâcher mes avocats et me contenter des 50 millions de dollars qu'ils m'ont promis, riposte Neumann, le sourire aux lèvres. En terminant, j'ajouterais que plus de 80 % de la richesse mondiale…

— Monsieur Neumann, encore une petite question ! l'interrompt brusquement un autre journaliste d'une voix forte.

Surpris, Neumann s'arrête au beau milieu du laïus qu'il avait préparé spécialement pour l'occasion et fixe le journaliste. Avec sa barbe de trois jours, son ventre proéminent, ses rares cheveux gris gominés et lissés vers l'arrière, celui-ci en a visiblement vu d'autres.

— Pourquoi avez-vous choisi de donner votre point de presse devant le palais de justice ? Cela a-t-il un rapport avec le verdict d'acquittement qui a été rendu ici même, hier, concernant Chris Lowen, surnommé le *Tueur à la casquette rouge ?* Un meurtrier que vous avez vous-même suivi en thérapie il y a quatre ans. Croyez-vous que c'est lui qui a étouffé la fillette de cinq ans retrouvée nue et recouverte de broussailles dans le parc Druid Hill le jour de l'anniversaire de son père ?

Neumann le regarde un moment, ébranlé. Le journaliste, qui a fait mouche et qui connaît son dossier sur le bout des doigts, continue sans consulter ses notes.

— La défense a démontré, hors de tout doute raisonnable, que le seul témoin des évènements, la sœur de la victime âgée de sept ans, avait offert un témoignage peu convaincant, la qualifiant même de menteuse et que l'accusé, malgré un passé accablant, n'avait pas abusé de la victime ni tué cette dernière, bien qu'il ait avoué avoir passé une partie de la journée au parc Druid Hill et avoir même parlé aux fillettes. Qu'en pensez-vous, Professeur ? lance le journaliste d'expérience qui ne se déplace pas pour rien un samedi matin.

— Je ne suis pas…

Neumann n'a pas le temps de terminer sa phrase que le journaliste reprend.

— Le jury a déclaré que le témoignage de Lowen lui a paru sincère. Lors du procès, son thérapeute affirma que son client, qui suivait volontairement une thérapie pour s'en sortir, faisait des progrès remarquables. Lowen l'avait appelé le jour même du drame pour lui signaler sa rencontre, tel qu'ils en avaient convenu s'il s'adressait à une mineure. Lors de leur entretien téléphonique, il lui avait paru crédible en relatant dans les moindres détails ses faits et gestes de la journée. Il avait insisté sur le fait que l'idée de les agresser ne lui avait pas traversé l'esprit, qu'il ne les avait pas désirées sexuellement et qu'il n'avait senti aucune pulsion meurtrière monter en lui. Malgré le fait que Chris Lowen avait déjà été condamné à treize ans de réclusion en 1988 pour l'agression sexuelle et le meurtre d'une fillette de six ans pour lesquels il s'était livré à la police quelques jours plus tard, son thérapeute ne croyait plus son patient capable de commettre pareil crime. Après le témoignage du thérapeute, l'histoire de la fillette, même si cette dernière avait eu l'air fort traumatisée en présence de l'accusé, n'a convaincu ni les experts ni la Cour, ni même le jury qui a préféré retenir la thèse de la défense. Lowen a donc été acquitté pour insuffisance de preuves et se retrouve maintenant libre comme l'air, termine le vétéran journaliste en regardant Neumann droit dans les yeux.

Neumann se mord les lèvres, prend une grande inspiration et laisse passer un long moment avant de reprendre la parole.

— Vous avez terminé ?

Le journaliste le fixe en silence.

— Je ne suis pas ici pour cela... je n'ai donc pas de commentaires... mis à part le fait que ce crime étant toujours impuni, la justice devra suivre son cours, dit-il en esquissant un sourire pour clore le sujet.

Le point de presse prend soudain une tout autre tournure. Alors qu'il y a une minute à peine, les journalistes étaient calmes, détendus et bien disciplinés, ils se bousculent maintenant dans une surenchère de questions, sans attendre d'y être invités.

— Monsieur, Monsieur...

— Si je vous ai convoqués devant un palais de justice, c'est que je trouvais fort à propos de venir parler devant une Cour de l'évènement criminel auquel je fus confronté bien malgré moi.

— Professeur Neumann, vous ne semblez pas convaincu que cette fillette ait pu mentir, crie une journaliste dont la voix supplante celles des autres, enhardie par le fait que le regard de Neumann s'est attardé sur elle.

Neumann lève les bras, les paumes ouvertes devant la meute de journalistes pour les calmer. Les piaillements font place au silence.

— Pouvez-vous répéter calmement votre question s'il vous plaît, Madame ? demande posément Neumann.

— Croyez-vous Chris Lowen coupable du meurtre de la fillette ? Serait-il un récidiviste ? Le *Tueur à la casquette rouge* aurait-il frappé de nouveau ?

— Vous savez, quand un ensemble de symptômes qui caractérisent une maladie se présente sous sa forme la plus pure, si primitive qu'on a peine à y croire, il arrive parfois que même les spécialistes les plus avisés en ratent sa redoutable présence au moment de poser le diagnostic.

— Que voulez-vous dire ? Pouvez-vous préciser votre pensée ? Qu'est-ce qui a échappé à la Cour ? Professeur Neumann, croyez-vous Chris Lowen coupable ? S'il vous plaît, Monsieur… s'il vous plaît…, insiste la journaliste, avide.

Neumann scrute la multitude de visages devant lui, à la recherche d'une bouée de sauvetage. Il s'arrête sur une jeune journaliste coiffée de longues nattes et vêtue d'un jean et d'un t-shirt noir et blanc à l'effigie de Che Guevara. Il a remarqué que, depuis le début du point de presse, elle attend bien sagement son tour au milieu de ses confrères en essuyant les ruades des plus aguerris.

— Mademoiselle ?

— Moi ? s'exclame la jeune fille, surprise.

Elle lève son calepin et lit à haute voix.

— Monsieur Neumann, croyez-vous que, si le gouvernement présentait une politique économique basée sur la justice sociale, la criminalité diminuerait dans notre pays ? débite fébrilement la jeune représentante d'un journal communautaire en tendant vers lui son magnétophone, sous le regard acerbe de ses confrères impatients qui considèrent qu'elle vient de laisser passer l'incroyable occasion de se faire remarquer par tous les médias présents en posant une question aussi futile et hors contexte.

Ravi, Neumann lui sourit de toutes ses dents. La jeune fille rougit et lui retourne timidement son sourire.

— Vous savez, à l'échelle de la planète, 82 % de toute la richesse est détenue par 8,7 % de la population. Il faut avoir goûté à la richesse qui vous élève démesurément au-dessus de la masse pour comprendre à quel point elle n'est jamais méritée. Quoi qu'il ait accompli, un homme ne mérite jamais de profiter de ses semblables au point d'engranger des fortunes colossales alors que d'autres se meurent. Il s'agit là de la forme de perversion collective la plus répandue dans le monde. Tous les gens un tant soit peu instruits reconnaissent l'indéniable nécessité d'un salaire minimum, mais personne ne parle jamais, au grand jamais, de son indispensable complément qui est le salaire maximum…

Dès notre tendre enfance, nos sociétés s'efforcent de nous enseigner l'importance de la loi et de l'ordre, mais pas celle de l'équité qui, pourtant, est la base même des deux premiers. D'aussi loin que je me souvienne, j'ai toujours eu des chiens et je les ai toujours traités avec affection. Mais, malgré tout mon amour et mon savoir-faire, je n'ai jamais, au grand jamais, pu en laisser aucun seul devant un morceau de viande sans qu'il ne le dévore. La raison en est fort simple. Dans la nature, prendre tous les moyens pour assouvir sa faim ne constitue pas un acte criminel, c'est tout simplement un geste de survie. En revanche, lorsque le chef de la meute est rassasié, il cédera sa place aux autres pour qu'ils mangent à leur tour. Il n'engrangera pas les restes alors que ses congénères sont affamés.

Pour répondre à votre question, Mademoiselle, quand les têtes dirigeantes appliquent des politiques économiques basées sur la justice sociale, la criminalité diminue. Cette adéquation est indéniable. Tout au long de son histoire, l'Homme a subi la dictature de la royauté, du communisme ou du socialisme. Aujourd'hui, il se plie à la dictature du capitalisme. Le capitalisme est certes le plus beau système politique au monde, mais pas le meilleur qu'on puisse espérer. Pourquoi ne laisserions-nous pas la nature dicter nos comportements pour changer. Nos gouvernants ont suffisamment abusé de l'environnement et de la population au cours des siècles en les mettant à rude épreuve jour après jour. Il est plus que temps d'accéder à une société où règne l'équité. Nous avons tout à gagner et largement les moyens de nous donner des politiques économiques morales axées sur la justice sociale et la nature nous offre suffisamment d'exemples pour qu'on y parvienne. Il est navrant de constater que nos politiciens sont loin d'avoir la sagesse de vivre avec le salaire moyen de la population qu'ils prétendent pourtant représenter. Il est maintenant temps de dire les choses telles qu'elles sont. Nos politiciens n'utilisent pas l'argent de nos impôts pour le bien public. Ils ne sont pas des meneurs naturels au service du citoyen, ils ne sont que des êtres dénaturés, des seigneurs de la guerre électorale qui ne pensent qu'à leur intérêt au détriment du nôtre. Il est grand temps que cela change ! En vérité, je vous le dis : « La vie illicite et lubrique, par nonchalance donnera la fin », termine Neumann en paraphrasant Nostradamus.

La jeune fille lui sourit et ferme son magnétophone. Neumann lui retourne son sourire avant d'affronter de nouveau la meute de journalistes.

—Monsieur Neumann, Monsieur Neumann..., hèlent désespérément les représentants des médias qui se bousculent en faisant fi des règles les plus élémentaires de savoir-vivre.

Les reporters pointent leur micro sous le nez de Neumann, acculé au pied du rempart de béton qui protège le socle du glorieux monument.

— Ce sera tout, merci, conclut Neumann avec fermeté, en se frayant un chemin à travers les journalistes aux abois.

La caméra se recadre rapidement sur l'envoyée spéciale de la station de télévision qui entame son résumé.

— Voilà, le professeur Auguste Neumann de...

*

* *

De retour à l'hôpital régional de Culpeper, dans la chambre de Seward...

Jamison éteint le poste de télévision et dépose la télécommande sur la table au pied du lit. Dans la petite chambre, on pourrait entendre une mouche voler. Castelli émet enfin ses commentaires sur ce qu'ils viennent de voir.

— Il vient de citer Nostradamus. Ce visionnaire prédisait que la fin des temps arriverait le jour où la société serait dominée par un monde de luxure gouverné par des hommes d'État corrompus et malhonnêtes. D'après lui, pour éviter la fin du monde, il faudra rétablir la paix sociale sur Terre en imposant l'équité entre les hommes, et cela ne sera possible que par la venue du Grand Monarque.

— Monsieur, Neumann ne croit pas en Dieu, corrige Seward.

— Peut-être, mais il vient d'attirer l'attention des illuminés de tout le pays sur sa cause. Allons-y ! Jarvis, ramassez vos affaires, vous venez avec nous, commande Jamison d'un ton incisif.

— Pardon, Monsieur, j'aurais aimé pouvoir rester seule un moment avec l'agent Seward.

— Bon… Ne tardez pas trop. On y va, termine le directeur à l'intention de Castelli.

Les deux hommes quittent la chambre. Seward et Jarvis commencent enfin à respirer quand Jamison réapparaît dans le cadre de la porte.

— J'allais oublier… je veux votre rapport sur les évènements de cette nuit au plus tard demain matin sur mon bureau.

— Vous l'aurez aujourd'hui même, en fin d'après-midi, Monsieur.

Le téléphone de Jamison se met à sonner.

— Bien, s'empresse-t-il de conclure en tournant les talons.

Tout en ouvrant son portable, il emboîte le pas à Castelli.

Jarvis s'avance vers la tête du lit de Seward et s'accoude sur la barre transversale supérieure.

— Bon, nous ne pouvons plus rien y faire maintenant… Ça va aller ?

— Oui, ça va aller.

Les deux jeunes gens ne savent plus comment reprendre leur dialogue interrompu. Jarvis rompt enfin le silence.

— J'ai fait des prélèvements sur la petite Julie Davis hier soir, comme prévu. Ce matin, je suis passée au laboratoire avant de venir ici. Les résultats sont concluants, le sang retrouvé sur le fouet est bien le sien, comme tu l'avais prédit. Je voulais te le dire avant d'en informer Jamison.

— Merci.

— Bon, je dois aller les rejoindre maintenant, dit Jarvis, la gorge nouée.

— Nicole, pour ce que je t'ai dit tout à l'heure...

Voyant que Seward se sent mal à l'aise, Jarvis prend les devants.

— Oh! ne t'en fais pas pour ça, Simon, je suis blonde, j'ai une taille fine et je suis âgée de 25 ans. J'ai eu droit à toutes sortes de déclarations dans ma vie. Tu n'as pas à t'en faire. C'est déjà oublié en ce qui me concerne. L'incident est clos...

— Non arrête, attends... attends. Nicole, cette nuit j'ai reçu six balles dans le corps. J'étais sûr que j'allais y passer... et... Je... Je t'aime, Nicole.

Jarvis le regarde droit dans les yeux et, sans plus réfléchir, approche lentement son visage de celui du jeune homme. Seward se redresse et leurs lèvres se frôlent. Jarvis l'embrasse du bout des lèvres et s'écarte lentement, les yeux fermés. Mais Seward la saisit par les épaules et lui donne un long baiser. Jarvis se dégage de l'étreinte.

— Simon… ce n'est pas aussi facile que tu le crois. Je ne peux pas faire ça, refuse la jeune femme, le regard attristé.

— Qu'est-ce que tu racontes !

— Tu ne peux pas m'aimer… tu ne sais pas qui je suis. Je ne suis pas aussi aimable que tu le crois.

— Mais qu'est-ce que tu racontes, Nicole…

— Non, attends, Simon, c'est à toi d'écouter. J'ai des choses à régler dans ma vie et je ne veux pas te mêler à ça… pas comme ça. J'ai besoin de savoir, Simon, tu comprends ça ?

— Quoi, Nicole ? Je t'aime ! Et tu m'aimes aussi, non ?

— Ce n'est pas aussi simple que ça… Ce n'est pas aussi simple. Et ça n'a rien à voir avec toi… Je ne veux pas tout gâcher. Je ne veux pas que ça se passe comme ça…

— Gâcher quoi ? J'ai failli me faire descendre cette nuit. Alors, quoi que tu aies à me dire, je ne crois pas que tu arrives à me faire peur, poursuit Seward en se redressant dans son lit.

— Qu'est-ce que c'est ? s'exclame Jarvis en apercevant le coin d'une enveloppe brune glisser entre l'oreiller et le matelas. Elle s'avance pour la saisir.

— Ce n'est rien, dit Seward qui prend soudain la couleur de son drap.

Il tente de replacer son oreiller, mais Jarvis passe son bras par-dessus son épaule et s'empare de l'enveloppe brune marquée du logo du FBI.

— Je l'ai eue, clame-t-elle avec un sourire espiègle.

— Rends-moi ça, Nicole !

Cette dernière s'empresse de mettre l'enveloppe hors de portée du pauvre policier alité et branché de toutes parts. Amusée, elle lit d'une voix forte et enjouée l'inscription qui y figure.

— Département des ressources humaines, Service d'aide aux employés, Bureau du FBI, Quantico.

Sans hésiter, elle glisse la main dans l'enveloppe en faisant fi des supplications de Seward.

— Toi aussi, tu fais partie du programme, conclut-elle le visage soudainement radieux.

— Non, Nicole, ne fais pas ça !

Mais Seward est incapable de freiner le geste de sa collègue qui en retire prestement un questionnaire agrafé.

— *Évaluation du comportement ; test de détection de comportements psychopathiques à partir d'éléments observables basés sur l'échelle de Hare 1985.*

Évaluateur : Agent Simon Seward.

Soudain la voix de Jarvis baisse d'un cran et son visage s'allonge.

— *Évaluée : Agent Nicole Jarvis*, lit cette dernière, estomaquée.

Elle lève les yeux sur Seward. Déconcerté, il sent son cœur fondre. Il baisse la tête, incapable de soutenir le regard affligé de sa partenaire.

— Je vais t'expliquer, Nicole.

Jarvis tourne les pages et survole rapidement les cinquante questions personnalisées qui composent l'évaluation.

Puis elle reprend les questions une à une à voix haute.

Répondez par Oui (O), Non (N), ne Sait pas (S) ou ne s'Applique pas (A) aux questions suivantes :

Nº Question	O	N	S	A
01. Elle est faconde.	☐	☑	☐	☐
02. Elle adore la vantardise.	☐	☑	☐	☐
03. Elle aime traquer.	☐	☑	☐	☐
04. Elle est une conductrice agressive.	☑	☐	☐	☐
05. Elle empêche les autres de s'exprimer.	☑	☐	☐	☐
06. Elle tranche toujours en sa faveur.	☑	☐	☐	☐
07. Elle recherche la compagnie des gens dangereux.	☐	☑	☐	☐
08. Elle utilise un niveau de langage inférieur à celui de son éducation.	☐	☑	☐	☐
09. Elle a de la difficulté à établir une relation d'égal à égal avec ses coéquipiers.	☐	☑	☐	☐
10. Elle entretient des rapports orageux et violents.	☐	☑	☐	☐
11. Elle est narcissique.	☐	☑	☐	☐
12. Elle manipule ses collègues.	☐	☑	☐	☐
13. Elle ment à ses collègues.	☐	☑	☐	☐
14. Elle éprouve des sentiments superficiels pour charmer.	☐	☑	☐	☐
15. Elle est insensible.	☐	☑	☐	☐
16. Elle n'exprime aucune culpabilité.	☑	☐	☐	☐
17. Elle est mauvaise perdante.	☐	☐	☑	☐
18. Elle ne supporte pas qu'on la dérange.	☑	☐	☐	☐
19. Elle prétend être seule apte à juger de ses actes.	☑	☐	☐	☐
20. Elle excuse ses mauvais comportements en se comparant à pire qu'elle.	☐	☑	☐	☐
21. Elle raconte des évènements traumatisants sans aucune émotion.	☐	☐	☑	☐
22. Elle se moque des autres, mais ne supporte pas qu'on se moque d'elle.	☑	☐	☐	☐
23. Elle se prend toujours au sérieux.	☑	☐	☐	☐
24. Elle profère des menaces.	☐	☑	☐	☐

Répondez par Oui (O), Non (N), ne Sait pas (S) ou ne s'Applique pas (A) aux questions suivantes :

Nº Question	O	N	S	A
25. Elle se dit dangereuse.	☐	☑	☐	☐
26. Elle a un faible contrôle du comportement.	☐	☑	☐	☐
27. Elle est impulsive.	☐	☑	☐	☐
28. Elle agit avec irresponsabilité.	☐	☑	☐	☐
29. Elle ne reconnaît pas la responsabilité de ses actes.	☐	☑	☐	☐
30. Elle est encline à de violentes crises de colère.	☐	☑	☐	☐
31. Elle est constamment tendue.	☑	☐	☐	☐
32. Elle est toujours de mauvaise humeur le matin.	☑	☐	☐	☐
33. Elle emprunte souvent de l'argent à ses collègues.	☐	☑	☐	☐
34. Elle n'admet jamais qu'elle a tort.	☐	☑	☐	☐
35. Elle devient menaçante lorsqu'on la contredit.	☐	☑	☐	☐
36. Elle lance des objets aux autres lorsqu'elle perd le contrôle de la situation.	☐	☑	☐	☐
37. Elle attribue des surnoms dénigrants aux autres.	☐	☑	☐	☐
38. Elle exige le respect absolu.	☑	☐	☐	☐
39. Elle s'habille souvent en rouge et noir.	☐	☑	☐	☐
40. Elle ne répond jamais directement à une question.	☐	☑	☐	☐
41. Elle arrive constamment en retard.	☐	☑	☐	☐
42. Elle a l'insulte facile.	☐	☑	☐	☐
43. Elle ne partage pas ses connaissances.	☐	☑	☐	☐
44. Elle se donne en spectacle lorsqu'elle se sent coincée.	☐	☑	☐	☐
45. Elle s'éclipse lorsqu'elle n'arrive pas à convaincre	☑	☐	☐	☐
46. Elle s'approprie le crédit du travail d'autrui.	☐	☑	☐	☐
47. Elle a une gestuelle rigide.	☑	☐	☐	☐
48. Elle a du mal à retenir le nom des gens (dépersonnalisation).	☐	☑	☐	☐
49. Elle ne s'excuse jamais.	☐	☑	☐	☐
50. Elle frappe les animaux domestiques pour se faire respecter.	☐	☐	☐	☑

— *Elle est faconde ; non. Elle adore la vantardise ; non. Elle aime traquer ; non. Elle est une conductrice agressive ; oui.*

— Alors ça, c'est vraiment dégueulasse. C'était trop beau… la documentation sur le syndrome, gémit-elle en frappant son front de la paume de sa main. Qu'est-ce que je peux être bête, j'aurais dû m'en douter.

— Quoi ! Ça ? Les livres sur Stockh… Non ! Ça n'a rien à voir avec eux. C'est une infirmière de nuit. Elle est inscrite à un programme de formation continue et suit des cours de jour sur les diagnostics cliniques de la maladie mentale. Elle veut être transférée dans le secteur psychiatrique. Je ne lui ai pratiquement rien dit et elle m'a apporté tout ça.

Jarvis baisse le nez vers le questionnaire. Seward enchaîne.

— C'est le directeur de l'équipe d'aide aux employés qui m'a remis ce questionnaire, ce matin. Il m'a fait comprendre à mots couverts qu'il lui fallait une évaluation positive. Il doit produire de toute urgence un rapport pour Jamison. Tu sais ce que c'est. On vient de participer à la capture du *Tueur de la Belle au bois dormant*. Nous ne sommes plus des agents comme les autres. Il m'a appris que tu ne t'étais pas qualifiée aux examens d'aptitudes psychologiques, mais que tu avais été admise sous un nouveau programme et que, si je remplissais ce questionnaire, ça pourrait te donner un bon coup de pouce. Jamison ne veut pas que ça lui revienne au visage par un journaliste qui irait mettre son nez dans ton dossier et raconterait qu'un de nos agents, qui n'avait pas les qualités requises pour être admis au FBI, a été envoyé à l'abattoir.

— Il t'a raconté tout ça !

— Non, non, attends..., enfin oui, mais je t'ai fait un excellent rapport. J'ai mis des Non presque partout, à part deux ou trois petits trucs à améliorer.

Jarvis le fusille du regard.

— Je vais tout faire, Nicole...

— Inutile, tu en as déjà assez fait comme ça.

— Il m'a prévenu que tu allais réagir ainsi, si tu découvrais cette enveloppe, confesse Seward naïvement.

Jarvis le foudroie du regard. Seward comprend qu'il vient de s'enfoncer un peu plus. Il pince les lèvres et secoue la tête. La policière lance l'épais formulaire et l'enveloppe sur le lit, pivote et ramasse ses affaires.

— Elle est vraiment bonne, celle-là. C'est toi qui n'arrêtes pas d'agir comme un dingue et c'est moi qui suis évaluée... et par toi. C'est vraiment trop injuste.

Seward reste coi, puis se ressaisit.

— Ces tests sont une évaluation ponctuelle pour savoir où se situe la personne et vérifier si elle s'améliore avec le temps. Les résultats ne sont pas définitifs. La personne qui est affectée de troubles du comportement peut tout changer du jour au lendemain, c'est à elle de choisir... S'il subsistait le moindre doute dans leur esprit que tu puisses être une psychopathe, ils ne t'auraient jamais admise au FBI...

Folle de rage, Jarvis prend une grande inspiration.

— Merci ! C'est vraiment trop gentil de ta part, Simon. C'est très réconfortant.

— Quoi ? Quoi ? Qu'est-ce que j'ai dit ?

Jarvis, qui allait partir, décide de riposter.

— *Pouvez-vous me parler de vous ?* Voilà la question piège lors d'un examen sur le comportement psychopathique. Les personnes qui souffrent de ce trouble de la personnalité répondent de trois manières : en jouant au plus malin, en manifestant de la paranoïa ou en réagissant avec agressivité. Moi, j'ai répondu avec un tantinet d'arrogance. Désolé ! Mauvaise réponse. Veuillez vous lever et vous rendre immédiatement au Bureau d'étude du comportement. Vous ne pouvez pas le manquer, c'est tout au fond du couloir, en bas à droite. La porte est située entre celles des labyrinthes pour les rats et le laboratoire où l'on dissèque les grenouilles… Alors, Monsieur Je-veux-tout-savoir, s'il y a bien une chose que je ne peux pas me permettre, c'est de tomber amoureuse d'un homme qui prendrait le contrôle de ma vie professionnelle. Non, merci ! Je regrette, Simon, mais ça, ce n'était vraiment pas la chose à faire ! termine-t-elle en malmenant sac et manteau.

La jeune femme fait demi-tour et quitte la chambre. Une fois dans le couloir, elle ralentit et longe le mur tête baissée, pour éviter que les gens qui la croisent ne remarquent ses yeux emplis de larmes.

3

Samedi midi, devant une maison de retraite, Virginia Beach…

Sous un soleil radieux, l'agent Bayer traverse un parking, un dossier à la main. Il arrive devant une entrée formée de quatre portes vitrées. À son approche, les deux portes centrales s'ouvrent d'elles-mêmes, lui donnant l'impression qu'il est le bienvenu. L'agent les passe et s'arrête à la réception. Une jeune femme, tout de blanc vêtue, l'accueille derrière un immense comptoir de marbre rose, son casque d'écoute enserrant sa chevelure couleur soleil.

— Bonjour, Monsieur, puis-je vous aider?

— Je suis à la recherche d'un certain Mike Fuller. Il serait l'un de vos pensionnaires, souligne le policier en brandissant sa plaque du FBI.

— Oui, il habite bien ici, il est à l'appartement…

Elle n'a pas le temps de terminer sa phrase que la porte de l'ascenseur s'ouvre sur sa droite, au fond du hall. Elle tourne machinalement son regard dans sa direction.

— Il est là, dit-elle en pointant du doigt un homme en fauteuil roulant qui en émerge, poussé par une employée.

Bayer se tourne dans la direction indiquée.

— Merci, Mademoiselle, dit-il avec un large sourire.

Bayer rejoint l'employée qui a déjà tourné le coin du couloir en direction de la terrasse et aborde le vieil homme.

— Pardon ! Monsieur Fuller ? Je suis l'agent Bayer du FBI. Pourrais-je vous parler quelques minutes ?

Les pulsations cardiaques du vieillard augmentent brusquement et il se met à trembler, ce qui n'échappe pas à Bayer.

— N'ayez crainte, cela ne vous concerne pas directement. C'est au sujet d'un client que vous auriez eu il y a une quarantaine d'années.

— Oh ! Je suppose que vous voulez me parler de Bill Bill, répond d'une voix éraillée l'octogénaire décharné, soudainement amusé.

— Oui, c'est bien ça, confirme Bayer, surpris.

— Allons dans le jardin, nous serons plus tranquilles, propose Fuller le sourire aux lèvres, dévoilant ainsi des prothèses dentaires négligées et manifestement trop larges pour son visage émacié.

L'employée reprend sa route, suivie de Bayer. Elle parvient au bout de l'immeuble où une porte double coulissante s'ouvre devant le fauteuil roulant. Ils traversent le patio recouvert de dalles blanches qui reflètent un soleil aveuglant, s'engagent dans un petit sentier de gravier fin pour, finalement, aboutir à un immense palmier, à une cinquantaine de mètres de la plage. L'employée installe le fauteuil roulant tout près du tronc, à l'ombre du majestueux feuillage.

— Là, vous serez tranquille pour discuter, ajoute-t-elle, soucieuse du bien-être de son pensionnaire.

— Merci.

— Je reviens, Monsieur. Je vais vous ramener une chaise.

La préposée revient avec une chaise de jardin.

— Merci beaucoup, Madame, s'incline Bayer, avant de s'installer devant le fauteuil roulant de Fuller.

— Je reviens vous chercher dans vingt minutes, Monsieur Fuller, promet l'obligeante jeune femme, avant de retourner vers la terrasse.

Lorsqu'elle s'est suffisamment éloignée, Bayer peut enfin observer le visage tatoué du vieil homme. Celui-ci a la peau tellement flétrie qu'il a du mal à comprendre la signification des nombreux dessins qui le recouvrent. Les pigments de couleur qui entrecroisent les rides lui font penser au tableau *Persistance de la mémoire* de Salvador Dali, où des objets symbolisant le temps qui s'écoule sont représentés déformés comme s'ils se répandaient sur la toile. Bayer baisse enfin les yeux, sort une enveloppe de son dossier et en extirpe une première photo.

— C'est bien vous qui avez réalisé ce tatouage, n'est-ce pas? questionne le policier en approchant la photo des yeux de Fuller.

Ce dernier hoche lentement la tête.

— Ça me fait plaisir de constater que je suis encore capable de reconnaître mon travail.

Bayer lui présente alors une seconde photo présentant cette fois un visage.

— Oui, je connais cet homme. C'est Bill Bill, reconnaît sans hésiter le vieillard.

— Qui était-ce? demande Bayer en replaçant les photos dans l'enveloppe.

— Je n'en sais rien. Je ne l'ai vu qu'une seule fois, il y a de cela quarante ans, comme vous l'avez dit vous-même. À l'époque, je possédais une boutique de tatouage à Boston et je faisais aussi le tour des foires, de ville en ville, avec mon camion. Vous savez, c'était l'époque du *flower power*. J'avais des ententes avec des bars, et même avec des salons de coiffure. Je leur laissais ma carte. Quand un client voulait un tatouage, le patron me téléphonait pour prendre rendez-vous et je passais chez lui où le client m'attendait. Je tatouais les gens dans mon camion ou, parfois, directement devant les habitués de la place. Je donnais une commission, je buvais le reste de mes gains et tout le monde était heureux.

— Où l'avez-vous rencontré?

— Dans ma boutique. Il y est passé un après-midi, si je me rappelle bien. Ça fait tellement longtemps... Je lui ai tatoué ce cow-boy avec sa vache, se remémore le vieux tatoueur en souriant. C'est lui qui m'a fourni l'esquisse qu'il avait faite lui-même... Enfin, elle n'était pas aussi belle que ce que je lui ai tatoué, mais ça ressemblait à ça... J'ai toujours eu une mémoire photographique pour certains trucs… Vous n'avez pas encore trouvé son meurtrier ?

— Non, répond Bayer, piqué dans son orgueil de policier. Mais comment savez-vous qu'on enquête sur lui ?

— Oh ! Mais qu'est-ce que vous croyez ? Vous n'êtes pas le premier à me poser cette question, rétorque Fuller, ravi de l'attention que lui vaut son ancien travail de tatoueur.

— Qui vous a interrogé ?

— Un agent du FBI, comme vous.

— Quand ?

— Il y a bien une bonne dizaine d'années. À la même époque, il y avait eu aussi un autre agent, un policier de Boston… un grand mince qui s'exprimait très bien.

— Vous rappelez-vous du nom de ces agents ?

— Non, pas du tout ! J'ai une bonne mémoire photographique comme je vous l'ai dit, mais pas celle des noms.

— Est-ce que vous vous souvenez de ce qu'ils vous ont demandé ?

— Non, vous voulez rire, j'espère ! Ils m'ont montré des photos, comme vous, et ils ne savaient rien… comme vous, se moque l'octogénaire.

— Mais comment se fait-il que cela ne soit pas inscrit dans le dossier d'enquête. Votre nom n'apparaît nulle part.

— C'est peut-être parce qu'ils ont trouvé que je n'avais rien à dire d'assez intéressant pour prendre la peine de le transcrire.

— D'après vous, pourquoi un policier de Boston est-il venu enquêter sur la mort d'un homme survenue en Pennsylvanie ?

— Je n'en sais rien. Il n'est d'ailleurs pas resté longtemps.

— Vous n'auriez pas un souvenir plus précis de ce que vous a demandé le policier de Boston ?

— Il m'a posé des tas de questions sur les circonstances du tatouage, comme votre collègue. *Qui était-ce ? Le connaissiez-vous ? Pourquoi voulait-il ce tatouage ?*

— Et pourquoi le voulait-il ?

— Je n'en sais rien, je ne connaissais pas ce Bill. Je ne l'ai vu qu'une seule et unique fois. Je ne croyais vraiment pas que, quarante ans plus tard, j'en entendrais encore parler. Il était très jeune, il m'a payé comptant et je n'en ai plus jamais entendu parler avant la venue de cet agent du FBI qui m'a appris son décès, puis de ce policier de Boston quelques semaines plus tard… Vous savez, j'avais tout une réputation. C'est moi qui faisais les plus beaux tatouages à l'époque. J'ai appris la technique d'un Japonais pendant mon service militaire, juste entre les deux grandes guerres. D'ailleurs, dans ce pays, tout se passe toujours entre deux grandes guerres, lance-t-il en souriant. J'ai été un pionnier ici, c'est moi qui ai inspiré tous les tatoueurs qui ont suivi.

— Vous avez exercé ce métier longtemps ?

— Oui, toute ma vie. Enfin, pas exactement… mon père était fermier, alors j'ai été fermier moi aussi dans mon jeune temps.

— Oui, c'est sûr.

— J'aurais tout donné pour quitter cette vie. Je détestais ça. J'ai fini par fréquenter une fille qui habitait deux fermes plus loin. Son père était un vrai cinglé, saoul à longueur de journée, et ses fils étaient pareils. Alors, un jour, elle m'a demandé de partir avec elle et je l'ai suivie sans hésiter. Elle était très brillante à l'école et elle avait de la facilité pour les langues étrangères. Elle s'est fait offrir un poste dans un aéroport, a rencontré un pilote et je ne l'ai plus jamais revue.

Un bref moment de silence s'écoule.

— Vous n'avez rien d'autre qui pourrait m'aider un peu ?

— Non, répond distraitement Fuller, les yeux dans le vague.

— Bill vous a-t-il dit ce que représentait ce tatouage pour lui ?

— Non... Ah oui ! Attendez, maintenant ça me revient, s'écrie le vieil homme dont les yeux s'illuminent soudain. Il m'a confié qu'il voulait souligner le fait qu'il se l'était farcie sur la banquette arrière d'une voiture.

Bayer sort un crayon et transcrit textuellement la phrase.

— Oui, c'est bien ça... Bon sang ! Je ne me souvenais vraiment plus de cela.

— Vous en êtes certain ?

— Ah, ça oui !

— Quoi d'autre ? Essayez de vous rappeler, c'est important.

— Vous savez, dans ma vie, j'ai tatoué un tas d'hommes et de femmes, à des endroits du corps que vous n'oseriez même pas imaginer. Alors, j'en ai entendu de toutes sortes. Ça va des histoires d'amour les plus tendres aux récits les plus crus. Tenez, une Portugaise d'une trentaine d'années au corps de rêve est entrée un soir dans ma boutique alors que j'étais sur le point de fermer. Elle m'a demandé à brûle-pourpoint si je savais pourquoi les Portugaises pétaient après s'être fait enculer. Je lui ai répondu que je l'ignorais. Elle m'a dit que c'était pour replacer les poils du cul. Elle s'est retournée, a levé sa jupe, baissé sa petite culotte et s'est mis les mains bien à plat sur les fesses. Puis elle les a écartées bien grand, s'est penchée devant mon nez et m'a regardé droit dans les yeux par-dessus son épaule. Elle m'a lancé que, si je lui tatouais gratuitement la tête du Diable, la bouche ouverte autour de son trou du cul, je pourrais le constater par moi-même. Je n'ai pas été déçu… Oh ! ça non ! s'exclame le vieillard en éclatant de rire.

— Ça va, c'est bien. Vous rappelez-vous d'autres détails, si petits soient-ils, concernant Bill Bill ? Concentrez-vous s'il vous plaît.

— Non. Je regrette, je ne vois pas… je comprends que cela ne doit pas vous aider beaucoup. Dommage que je ne me sois pas souvenu de cela quand vos confrères sont passés il y a dix ans. Peut-être qu'à l'époque, cela aurait pu les aider. Ce Bill venait à peine de se faire tuer. Aujourd'hui, je ne crois pas que cela vous soit d'un grand secours.

— Essayez tout de même de vous rappeler ?

Le retraité réfléchit un moment.

— Non, je suis désolé, c'est tout ce que je vois. De toute façon, si j'étais vous, je ne prendrais pas tout cela trop au sérieux. Ce ne sont que les souvenirs d'un vieil homme. Je vais avoir quatre-vingt-neuf ans le mois prochain.

— Félicitations, lance poliment Bayer.

— Alors, il se peut que ma mémoire me joue des tours. Je ne voudrais pas non plus vous induire en erreur. Toutefois, je me souviens très bien de lui et j'ai vraiment l'impression que c'est cela qu'il m'a raconté.

— Vous avez dit qu'il voulait souligner le fait qu'il se l'était farcie sur la banquette arrière d'une voiture. Il vous a bien dit qu'il se l'était farcie ? Qu'est-ce qu'il voulait dire ? De qui parlait-il ? insiste Bayer, qui ne s'avoue pas encore vaincu.

— C'était une fille qu'il avait prise en autostop. J'imagine qu'il voulait juste dire qu'il se l'était farcie comme une dinde, qu'il lui avait défoncé son beau petit cul de jeune poulette. Des trucs que disent les gars de son âge qui portent des tatouages… Remontrez-moi la photo ?

Plein d'espoir, Bayer sort rapidement de l'enveloppe la photo de Bill Bill et la braque sous le nez de Fuller. Ce dernier la regarde intensément.

— Ouais, ouais…, murmure-t-il en examinant le visage de son ancien client.

— Quoi ? Vous avez trouvé quelque chose ? demande avidement Bayer.

— Quoi ? Non ! Pas la photo de Bill, celle du tatouage ! C'est celle du tatouage que je veux voir, relance Fuller avec impatience.

Bayer insère la photo de Bill dans l'enveloppe et brandit celle du tatouage sous les yeux de l'octogénaire.

Ce dernier sort ses lunettes de la poche de son fauteuil roulant et les glisse sur son nez.

— C'est bien ça ! C'est bien ça !

— Quoi ? trépigne Bayer.

— Regardez là. Les pis de la vache. Vous ne voyez rien d'anormal ?

Bayer retourne aussitôt la photo vers lui.

— Non, je ne vois rien.

— Oui, là, regardez bien ! insiste Fuller en pointant la vache. Les pis sont très gros, trop gros.

— Oui, peut-être, et alors ?

— Mon père possédait une ferme... et peut-être que je n'aimais pas ça, mais j'ai vu assez de vaches dans ma vie pour savoir que des pis sont gros seulement lorsqu'ils sont gonflés de lait. Et même là, ils ne le sont jamais autant.

Bayer le regarde, déconcerté.

— Je n'aurais jamais dessiné des pis aussi gros s'il n'avait pas insisté. Il m'a lancé furieusement que la fille qu'il s'était farcie était une grosse vache avec une énorme paire de nénés dans lesquels il n'y avait rien à boire, et c'est pour cela qu'il voulait son tatouage comme ça, et pas autrement. D'où les pis démesurément gros et la bouteille de lait vide dans sa main gauche... juste là ! indique le vieil homme d'un doigt tout noueux.

Estomaqué, Bayer attend la suite. Fuller le regarde la tête haute, fier de sa dernière révélation.

— Là, je ne me souviens pas d'autre chose.

— Vous en êtes sûr ?

— J'ai vraiment fouillé loin, je ne vois rien de plus.

— Bon, je vous remercie, dit Bayer en remballant ses affaires, comprenant qu'il a puisé cette fois le maximum de son interlocuteur.

— Voulez-vous que je vous raconte une autre histoire, relance le vieil homme, avide d'attention.

— Non merci, ça va aller.

— Juste une dernière, allons... juste une ! Savez-vous pourquoi les blondes ne rient jamais des blagues sur les blondes ?

— Non... peut-être parce qu'elles ne les trouvent pas drôles, répond Bayer en lui tendant la main.

— C'est parce qu'elles ne les comprennent pas ! s'esclaffe le vieillard en saisissant la main de l'officier.

4

12 h 30, en banlieue de Baltimore…

Un officier range sa voiture brune banalisée le long du trottoir, coupe le contact, attrape la radio et la porte à sa bouche : *Voiture 22 en poste !* Puis il baisse la glace.

— Voiture 22, bien reçu, lui répond la répartitrice.

L'agent au regard perçant scrute le parking de la quatrième maison sur sa droite, de l'autre côté de la rue.

— La fourgonnette est dans l'entrée. Rien à signaler.

— Bien reçu, voiture 22.

Dans la maison, un homme entrebâille le rideau de la fenêtre du salon, glisse un œil dans l'ouverture et aperçoit la voiture qui fait le guet. Il lâche le rideau, fait demi-tour, se dirige vers un fauteuil en cuir noir et saisit par la visière une casquette rouge qui repose sur l'accoudoir. Il l'enfonce jusqu'aux yeux, s'affale dans le fauteuil, attrape la télécommande et zappe nerveusement. Il s'arrête enfin sur une bande dessinée. *Bugs Bunny* est en train de grignoter une carotte derrière un *Elmer Fudd* armé de son fusil de chasse. Ce dernier épie un terrier en se demandant où peut bien se trouver ce sacré lapin. L'homme dépose la télécommande sur un petit meuble près de l'accoudoir, saisit le téléphone sur la table basse devant lui et fait glisser son index sur la page ouverte d'un annuaire téléphonique qui y repose. Il arrête son doigt sous un numéro encerclé au crayon rouge et le compose.

— Baltimobile, location de camions, fourgonnettes et voitures en tout genre. Puis-je vous aider? répond une jeune femme.

— Bonjour, Mademoiselle. Ce serait pour réserver une voiture.

— Bien sûr! À quel nom?

— Lowen, Chris Lowen.

*
* *

13 h 30, au bureau de Jamison, Quantico...

Jarvis s'avance dans le couloir qui mène au bureau de Jamison. Bien que pressée, elle réalise que toutes les chaises, qui normalement longent les murs de part et d'autre du couloir, ont disparu. Au fond, deux hommes en noir plantés de chaque côté du bureau de la secrétaire la surveillent. Son regard croise alors celui de l'adjointe de la direction qui interrompt aussitôt son travail.

— Ils vous attendent dans la salle de conférences.

Jarvis se mord la lèvre inférieure, ouvre la porte et s'arrête sur le seuil, intimidée. La salle de réunion est pleine à craquer. Elle a soudain l'impression de s'être trompée de bureau et d'assister à une assemblée de juristes ou, pire encore, à une réunion du Bureau ovale. Au fond de la pièce, alignés le long du mur, des hommes en complet sombre et aux cheveux rasés, baraqués comme des armoires à glace, sont aux aguets. La scène lui confirme que les gens attablés n'ont rien à voir avec des spécialistes en étude du comportement. Ils sont tellement concentrés sur les propos de l'un d'eux que personne n'a remarqué son entrée, mis à part la dizaine de gardes du corps au fond de la pièce qui ne cessent de la dévisager. L'ambiance est fébrile. Toujours paralysée, Jarvis remarque un participant un peu plus âgé que les autres, assis au bout de la table. C'est le premier qu'elle reconnaît, sans se rappeler toutefois s'il s'agit d'un gouverneur, d'un sénateur ou d'un riche lobbyiste. Mais ce dont elle est certaine, c'est qu'il lui a serré la main lors du banquet du samedi précédent où elle fut félicitée pour la découverte de Ralph Lebb, le pédophile d'Hagerstown et soi-disant tueur en série. Perdue dans ses pensées, elle croise le regard de Castelli qui lui sourit discrètement depuis son arrivée. Elle est réconfortée à la vue du visage familier et bienveillant. Jamison, qui garde toujours un œil sur son bras droit, tourne lentement la tête, l'aperçoit et lui fait signe de s'approcher. Jarvis obéit aussitôt comme un robot. Elle s'apprête à s'asseoir sur la seule chaise libre à côté de lui quand il se penche vers elle.

— Allez fermer la porte, lui murmure-t-il.

Mal à l'aise, Jarvis ferme les yeux et se mord les lèvres, l'air coupable. Elle commence à s'avancer vers la porte quand un garde du corps la devance et la referme. Jarvis ne sait plus sur quel pied danser. Elle fait demi-tour, s'assoit et reconnaît Neumann sur la photo qui trône sur les feuilles éparses de son dossier.

5

14 h, en périphérie de Baltimore...

À bord de sa Caprice classique, Neumann roule sur l'autoroute. Il aperçoit enfin le panneau d'affichage d'une quincaillerie à grande surface. Il ralentit, s'engage sur la bretelle de sortie et s'immobilise au stop d'un carrefour. À la vue d'une voiture de police à sa gauche, il marque généreusement l'arrêt obligatoire, puis traverse le carrefour et poursuit sa route, en prenant bien soin de respecter la limite de vitesse.

Soudain, la voiture de patrouille surgit derrière lui. Il blêmit et tente de garder son sang-froid. La voiture se rapproche à grande vitesse, puis le talonne de si près qu'il peut apercevoir dans son rétroviseur le visage du passager. Celui-ci attrape la radio. Neumann a des sueurs froides. Il sait pertinemment qu'avant d'intercepter un véhicule, les policiers recueillent toujours des renseignements à partir de la plaque d'immatriculation. Il se met à observer plus attentivement les deux patrouilleurs, une femme âgée d'une quarantaine d'années accompagnée d'un jeune homme plutôt bourru et très musclé. Ce dernier dépose sa radio sur son socle et glisse un mot à sa collègue qui actionne aussitôt les gyrophares et la sirène. Comme il sait la voiture de patrouille au moins aussi puissante que la sienne, Neumann n'a d'autre choix que de se ranger au plus vite, en espérant qu'il ne s'agisse que d'un phare grillé. Il commence à ralentir lorsqu'il aperçoit, en sens inverse, les gyrophares d'un autre véhicule de police. La voiture de patrouille qui le suivait le double. Soulagé, Neumann freine et se range sur l'accotement. Les deux bolides se rejoignent, tournent sur une voie secondaire et disparaissent dans un fracas assourdissant. Neumann reprend peu à peu ses esprits et regagne doucement le bitume. Deux coins de rue plus loin, il se gare devant la quincaillerie annoncée et y pénètre.

— Pardonnez-moi, Monsieur, où puis-je trouver les outils, s'il vous plaît ?

— Dans la rangée 17.

— Merci.

Neumann emprunte la rangée indiquée, longe les étagères et s'arrête devant les tournevis. Il s'empare d'un tournevis à lames multiples, poursuit sa recherche et s'arrête de nouveau, cette fois devant les masses. Il hésite entre les trois modèles présentés, les soupèse, se décide pour la plus lourde et passe à la caisse. Il regagne sa voiture, glisse ses achats dans le coffre arrière et reprend la route jusqu'au premier poste d'essence qu'il rencontre.

— Le plein, s'il vous plaît !... Oh ! avec une carte de la côte, s'il vous plaît !

Le pompiste s'exécute aussitôt. Au bout d'un moment, il réapparaît à la portière de Neumann.

— Ça fera trente-huit dollars.

— Tenez, gardez la monnaie, répond Neumann en lui tendant deux billets de vingt dollars.

— Merci.

— Savez-vous où je pourrais trouver un carrossier ouvert, pas trop cher et pas trop loin ?

— Il y en a deux ou trois, ça dépend de ce que vous cherchez. Mais il n'y en a aucun d'ouvert le samedi après-midi.

— Vous en êtes certain ?

Le pompiste réfléchit un moment.

— Peut-être que Will pourrait vous dépanner. Il travaille parfois le samedi et le dimanche. Son garage est juste à côté de sa maison.

— Alors, allons-y pour Will !

— Il est à cinq minutes d'ici. Prenez à gauche, puis à la troisième intersection, tournez encore à gauche. Vous verrez une énorme pancarte verte sur laquelle est inscrit McLeod en lettres rouges. Vous ne pouvez pas la manquer. Will est un Écossais. Il fait du bon boulot et il n'est pas cher du tout, recommande le pompiste en se grattant le crâne sous sa casquette.

Neumann le salue et emprunte la direction indiquée. Il passe la première intersection, croise la seconde et bifurque à droite vers un parc désert. Il range sa voiture sous les arbres, bien à l'abri des regards. Il éteint le moteur, sort du véhicule et ouvre son coffre arrière. Il s'empare de la masse, se place à l'avant de son véhicule, la soulève à deux mains et la laisse retomber de tout son poids sur l'aile droite, entre la roue et la portière. Satisfait du résultat, il dissimule la masse dans un bosquet. Il revient vers le coffre, attrape le tournevis, monte à bord du véhicule et verrouille les portières. Il dévisse le pare-soleil, attrape la voûte du toit à la hauteur du pare-brise, la décolle doucement du toit métallique et glisse sa main dans l'ouverture. Il tâtonne et trouve enfin une enveloppe gonflée de billets de 100 dollars, qu'il enfouit aussitôt dans son blouson. Il glisse de nouveau sa main dans l'ouverture et retire une seconde enveloppe. Elle contient un passeport canadien signé John Smith sous sa photo, ainsi que quatre billets d'avion ouverts, un de la compagnie australienne Quantos, un d'Air France, un de Norwegair et un dernier de Bahamasair. Il replace la voûte et remonte soigneusement le pare-soleil avant de reprendre la route.

À la troisième intersection, il tourne à gauche. Fidèle à la description du garagiste, une gigantesque pancarte verte, trop grosse pour la dimension du modeste garage, l'accueille. Neumann se range devant la porte et entre dans un petit bureau. Un calendrier de femmes nues, placardé stratégiquement derrière la caisse pour distraire le client au moment de régler la facture, attire son regard.

— Je peux vous aider? demande un homme qui surgit de l'atelier en s'essuyant les mains à l'aide d'un chiffon tout aussi bleu que sa combinaison de travail.

Absorbé par les charmes de la beauté du mois, Neumann sursaute.

— Oui, pardon. L'aile de ma voiture a été emboutie.

Le garagiste passe devant lui, ouvre la porte et se dirige vers le véhicule. Neumann le suit sans mot dire. L'homme passe sa main sur l'aile accidentée.

— Vous voulez la débosseler ou la remplacer ?

— La remplacer.

— Amenez-la-moi mardi matin.

— Mardi ! C'est impossible. Je croyais vous la laisser et passer la prendre au plus tard lundi matin.

Le garagiste se redresse et s'essuie les mains de nouveau sans quitter la voiture du regard.

— De quelle façon voulez-vous payer ?

— Comptant bien sûr... et je n'ai pas besoin de facture.

— Vous pouvez me la laisser tout de suite ? demande le garagiste pour s'assurer de l'intention de son client.

— Aucun problème !

— Elle sera prête demain soir vers 21 h, pour huit cents dollars. Ça vous va ?

— C'est parfait.

— Toutefois, je ne peux pas vous garantir que l'aile sera changée. Les entrepôts de pièces de carrosserie sont fermés, il ne reste que la casse. Je pourrais peut-être mettre une pièce usagée, sinon je vais devoir...

— Faites comme vous voulez, ça m'ira. Vous avez une voiture de courtoisie ?

— J'en ai une exactement comme la vôtre en arrière...

Neumann pâlit.

— La Cavalier noire quatre portes qui est là ferait bien l'affaire, suggère-t-il en pointant du doigt le véhicule stationné le long du trottoir, de l'autre côté de la rue.

— Si vous préférez. C'est un modèle 1994. Elle n'est pas très performante, mais elle roule bien, rétorque le garagiste en se pliant sans hésiter au caprice de son lucratif client.

— La Cavalier, ça sera parfait, conclut Neumann qui retrouve le sourire.

6

15 h, Fredericksburg, Virginie…

Jarvis roule lentement, un bout de papier à la main, en observant les maisons une à une. Elle se range enfin le long du trottoir et vérifie une dernière fois sur son papier la conformité du numéro d'une maison sur sa droite. Elle éteint le moteur, oriente le rétroviseur vers son visage, s'applique du rouge à lèvres, attrape son sac à main et saisit sa plaque du FBI. Elle sort du véhicule, s'avance vers la porte principale et appuie résolument sur la sonnette.

Debout devant un îlot de cuisine, un homme hache vigoureusement du persil. Il sursaute et la lame du couteau glisse sur le bout de son pouce. Le sang se met à gicler.

— Hé ! s'écrie-t-il en laissant tomber son couteau.

Le pouce sanglant dans la bouche, il accourt ouvrir la porte en déchirant au passage un morceau de papier essuie-tout.

— Monsieur Rockwell, Nicole Jarvis. Je suis du FBI. Puis-je entrer vous parler cinq minutes ?

— Bien sûr, répond l'homme en tentant maladroitement d'enrober son pouce blessé dans le morceau de papier.

Il recule pour permettre à Jarvis de pénétrer dans le hall et referme la porte derrière elle.

— Si vous voulez bien passer au salon.

Jarvis avance et s'arrête devant un canapé trois places qui fait face à une grande fenêtre.

— Asseyez-vous, Mademoiselle. Je vais arranger ça et je suis à vous tout de suite, lance Rockwell en brandissant son pouce.

— Allez-y, je vous en prie.

Jarvis prend place dans le canapé. Un gros fauteuil capitonné lui fait face, de l'autre côté d'une table basse en chêne massif travaillé à la main. Un jeu d'échec à l'effigie de l'armée napoléonienne trône sur une petite table à sa gauche. Sur le mur du fond, une série de statuettes et de livres recouvrent complètement le manteau de cheminée. Dans le coin, le téléviseur est posé sur un lourd bahut à deux portes. Au centre, un tapis rouge à frange beige complète le décor chargé. Son hôte réapparaît enfin, affichant un regard attristé.

— Puis-je vous offrir quelque chose à boire ?

— Non merci, c'est gentil.

— Un verre d'eau alors ?

— Avec plaisir.

L'homme ouvre les portes du bahut, dévoilant un petit réfrigérateur. Il en sort une carafe d'eau fraîche, attrape deux verres sur l'étagère du haut, les dépose sur la table en chêne, les remplit et en tend un à Jarvis.

— Merci.

Jarvis y trempe les lèvres avant de le poser sur la table basse, qui se trouve à quelques centimètres à peine de ses genoux. L'homme s'assoit dans le fauteuil, dos à la fenêtre. Jarvis entame la conversation.

— En mon nom personnel et en celui du Bureau du FBI, je tiens à vous présenter, Monsieur Rockwell, ainsi qu'à votre fille aînée, nos plus sincères condoléances pour la mort de votre fille cadette Amy. Nous sommes vraiment désolés.

— Merci, répond Rockwell d'une voix rauque.

L'homme avale une gorgée. Au bout d'un moment, Jarvis reprend la parole.

— Votre fille Karen est bien ici avec vous ? Elle n'est pas avec votre ex-femme ?

— Non, c'est mon week-end de garde. Karen est en haut. Elle joue à la poupée dans sa chambre avec une amie qui habite à un pâté de maisons d'ici. C'était une amie de sa sœur, mais maintenant…

Jarvis hoche la tête d'un air navré. Elle plonge la main dans la poche de son veston et en sort une photo.

— Avez-vous déjà rencontré cet homme ?

La jeune femme tend le bras vers Rockwell qui s'avance sur le bout du fauteuil.

— Vous pouvez la prendre.

— Merci.

Rockwell s'empare de la photo et la regarde attentivement.

— Non, cet homme ne me dit rien.

— Il s'appelle Auguste Neumann et il est professeur de psychanalyse à l'université de Boston.

Rockwell secoue la tête en haussant les épaules. Jarvis poursuit.

— Il a fait une déclaration ce matin à la télévision concernant Chris Lowen.

Rockwell relève brusquement la tête vers Jarvis.

— Tout cela serait un peu long à vous expliquer... mais nous croyons... ce n'est qu'une hypothèse et elle est peu probable... nous croyons que ce Neumann pourrait tenter d'entrer en communication avec votre fille aînée, puisqu'elle est le seul témoin de ce qui est arrivé à sa petite sœur. Mais n'ayez crainte, il ne lui veut aucun mal. Au contraire, nous croyons qu'il pourrait même vous offrir ses services, à vous et à votre fille, à titre de thérapeute. Il est possible qu'il se présente directement ici. Si tel était le cas, nous vous demandons de ne pas l'inviter à entrer. Car, bien que nous n'ayons aucune raison de supposer qu'il tentera de s'en prendre à votre famille, cet homme est quand même considéré comme extrêmement dangereux. Refusez poliment son offre et ne lui fournissez aucune information relative au crime. S'il insiste, demandez-lui de vous laisser sa carte et dites-lui que vous allez y penser. Cela devrait suffire. Puis appelez-nous immédiatement à ce numéro.

Jarvis fouille dans sa poche, sort sa carte du FBI et la lui remet.

— Je vous répète qu'il est peu probable qu'il communique avec vous, mais nous ne pouvons écarter cette possibilité. Je sais que tout cela est extrêmement difficile à comprendre et doit vous paraître bien irréel.

Mais soyez certain que nous compatissons avec vous et que nous vous sommes très reconnaissants de votre collaboration. Il n'est pas nécessaire de parler de ma visite à votre fille…

— Karen.

— Karen, c'est ça… ni à quiconque d'ailleurs. Je demande votre entière discrétion concernant mon passage ici aujourd'hui. De plus, nous croyons que, si cet individu ne tente pas d'entrer en contact avec votre fillette durant le week-end, il ne le tentera plus jamais. Il n'est pas non plus nécessaire d'alarmer la mère de Karen pour rien. D'ailleurs, nous l'aurons sûrement épinglé dans les 48 heures, s'il ne se rend pas de son propre chef d'ici là. Est-ce que vous avez des questions ?

— Karen n'est pas une menteuse !

— Je vous crois sur parole, Monsieur Rockwell. N'ayez crainte, il n'est pas question ici de douter de la parole de Karen, malgré ce qu'en a décidé la Cour… et c'est bien ce qui nous inquiète, termine Jarvis nerveusement en tendant la main à son hôte.

7

16 h 30, dans une pharmacie de Woodbridge, Virginie...

La porte coulissante du hall d'entrée s'ouvre devant Robinson qui entre en coup de vent dans le centre commercial, les mains dans les poches de son long manteau bleu foncé. Il se dirige directement vers le tourniquet de la pharmacie qu'il traverse avec la même vigueur. Il arpente à grandes enjambées le large couloir qui longe les caisses, la tête tournée vers les allées qu'il scrute systématiquement les unes après les autres. Soudain, ses yeux s'arrêtent sur une queue de cheval blonde qui surplombe un manteau trois-quarts du même ton que le sien. Il bombe le torse, s'engage dans l'allée et se plante derrière sa cible.

— Pardon, dit-il doucement.

Jarvis, qui était concentrée sur des pots de crème de nuit suffisamment chers pour qu'ils soient exposés sous un présentoir verrouillé, sursaute et pivote vers l'intrus. Le panier métallique qu'elle porte sur son avant-bras décrit un arc et atterrit sur la hanche de Robinson qui sursaute à son tour.

— Hé !

— Ça ne va pas, idiot, tu m'as fait une de ces peurs, rétorque Jarvis en lui assénant une tape sur l'épaule.

— Hé ! Ne fais pas ça, je ne l'ai pas fait exprès. Excuse-moi.

— Qu'est-ce que tu fais ici ?

— Bonjour, Madame, est-ce que je peux vous aider ? s'enquiert une jeune employée en blouse à l'effigie de l'établissement.

La jeune vendeuse, dont la soyeuse chevelure rousse borde un visage délicat, lui sourit. Ses dents sont si blanches que Jarvis ne peut s'empêcher de les fixer. L'admiration qu'elle suscite chez sa cliente n'échappe pas à la vendeuse à la peau laiteuse agrémentée de petites taches de rousseur, debout derrière le comptoir sur lequel elle a posé ses mains aux longs doigts fins bordés d'ongles rouges. Un énorme trousseau de clefs est retenu à son poignet droit par un bracelet bleu en spirale. Jarvis tend son panier à Robinson, puis regarde à travers la vitre et pointe un petit pot de crème.

— J'aimerais voir celui-ci, s'il vous plaît.

La vendeuse tente en vain d'entrer les unes après les autres les clefs dans la serrure. Au bout de quatre essais, la jeune fille secoue la tête.

— Pardonnez-moi, je n'ai pas le bon trousseau. Je reviens tout de suite.

— Merci.

Un aboiement de petit chien attire soudain l'attention de Jarvis et Robinson.

— Chut ! Popi, chuchote une dame d'une soixantaine d'années en mettant les deux mains sur les oreilles du petit animal. Je dois lui faire ça quand je parle du vétérinaire, car il a ce mot en horreur, confie-t-elle à la dame du même âge qui marche à ses côtés. Je ne pourrai pas assister à ton petit déjeuner demain, car j'ai rendez-vous chez le vétérinaire à neuf heures. Il doit passer une radiographie pour ses dents qui ne seraient pas parfaitement droites, selon lui, explique-t-elle à voix basse. Mais non, Popi, tu n'iras plus jamais chez le vétérinaire, c'est promis, lui dit-elle en caressant le dessus de la tête de son pékinois qui aboie de plus belle.

L'amie éclate de rire en caressant le petit chien à son tour. Les deux dames quittent l'allée en devisant sur l'animal. Songeuse, Jarvis suit Popi du regard.

— Qu'est-ce que l'Homme arrive à faire qu'aucun autre être vivant n'a réussi à ce jour ? murmure-t-elle pour elle-même.

— Quoi ? demande Robinson, intrigué.

Jarvis se retourne et le dévisage comme si elle avait oublié sa présence.

— Qu'est-ce que tu fous ici ?

— Je t'ai cherchée à travers toute la ville.

— Qu'est-ce que l'Homme arrive à faire de différent des autres êtres vivants ? répète Jarvis, perdue dans ses pensées.

— Marcher, se tenir debout, parler, rétorque Robinson en haussant les épaules.

Le jeune homme lit la déception dans les yeux de Jarvis et tente de nouveau sa chance.

— Il y a des tas de choses… construire une maison, lire, écrire, inventer les blocs Lego, créer la télé, lacer ses chaussures, prendre une douche, je ne sais pas moi, lance-t-il tout à trac pour regagner la considération de son amie.

Cette dernière soupire en levant les yeux au ciel.

— Les oiseaux construisent des maisons appelées nids et le lion marque son territoire en urinant pour laisser une signature que les autres bêtes arrivent à lire. Les abeilles captent des ondes, un peu comme une télé ; pour ce qui est des blocs Lego, tu devrais voir les alvéoles de leur ruche. Et pour la douche, les macaques japonais passent leur journée à se prélasser sous un jet d'eau thermale.

— D'accord, Nicole, mais tu n'en as trouvé aucun qui lace ses chaussures, relance le jeune homme, le sourire aux lèvres.

— Laisse tomber.

Perplexe, Robinson la dévisage.

— Non, attends. Je croyais qu'il s'agissait d'une question quiz, d'une sorte de reportage sur le cheminement existentiel que tu avais lu dans une revue pour femmes ou un truc du genre… mais on dirait que c'est plus important que cela.

— Oublie ça. Mais qu'est-ce que tu fais ici au juste ?

— Rien, je passais par là, répond Robinson, évasif.

— Tu es allé voir Simon ?

— Oui, j'ai vu Simon, mais ça ne veut pas dire que…

— C'est lui qui t'envoie ?

— Non… enfin, peut-être. Qu'est-ce que ça change ?

— Qu'est-ce que… je t'écoute, lance Jarvis en croisant les bras.

— Comment, tu m'écoutes ?

— Tu as un message pour moi, alors je t'écoute.

Les deux collègues se mesurent du regard, puis Robinson secoue la tête et lâche le morceau.

— Je ne voulais pas faire ça, je lui ai dit que… que je n'étais pas doué pour ce genre de mission.

Jarvis incline la tête pour montrer son impatience. Robinson libère une de ses mains et laisse pendre le panier le long de son corps.

– Bon, j'y vais, tant pis… Simon tient à toi, Nicole, et il ne croit pas que tes conditions d'engagement représentent un obstacle.

— Quoi, tu es au courant toi aussi ?

— Mais bien sûr…

— C'est pas vrai ! Y a-t-il quelqu'un qui ne soit pas au courant ?

— Quantico, c'est tout petit, se défend Robinson. Tu sais, tu n'es pas la première dans ce genre de situation. Le FBI a même déjà embauché des criminels célèbres par le passé… Le nom de Frank Abagnale me vient tout de suite à l'esprit. Après avoir passé près de cinq ans en prison, il fut engagé au Département des fraudes. Bon, c'est vrai qu'il était sous haute surveillance et qu'il n'était pas rémunéré pour son travail, mais enfin…

— Merci beaucoup, Denis, c'est trop, c'est... vraiment trop gentil, j'apprécie vraiment beaucoup ! ironise Jarvis.

— J'avais déjà de sérieux doutes à ton sujet, mais j'ai appris seulement ce matin que tu faisais partie d'un programme spécial, quand ils m'ont réveillé pour me demander de t'évaluer.

— Quoi ?

— J'ai rempli un petit questionnaire de rien du tout, rien de plus.

— Mais c'est pas vrai !

— On a pratiquement fait tous nos travaux ensemble depuis notre arrivée à l'Académie, c'est normal qu'ils se soient tournés vers moi.

— Mais c'est pas vrai !

Un couple au fond de la rangée se retourne vers eux.

— Baisse un peu le ton, Nicole. Voilà justement le genre de comportement qu'il faut que tu évites en public et que tu comprennes d'où il provient pour t'en corriger et t'améliorer.

— Quoi ? Va te faire foutre, Denis !

— Hé ! Attends ! Tu n'as pas le droit de réagir comme ça... Simon tient à toi. Il veut t'aider et il est vraiment amoureux de toi... Il doit avoir un truc ou deux de pas réglés avec sa mère.

— Simon est parfait, il n'a aucun problème, lance spontanément Jarvis.

— Permets-moi quand même d'avoir de sérieux doutes là-dessus... Je suis ton ami, Nicole et le sien, alors je veux vous aider. Et à voir la vitesse avec laquelle tu viens de prendre sa défense, je crois que tout n'est pas perdu. Je ne serai donc pas venu pour rien.

Jarvis le regarde fixement.

— D'accord, Nicole, excuse-moi. Je n'aurais pas dû te faire la leçon. Ça ne se fait pas.

— Pousse-toi !

— Je n'irai nulle part.

— Tu bloques le passage à la femme derrière toi.

Robinson se presse contre le comptoir pour ménager un passage.

— Pardonnez-moi, je ne vous avais pas vue, s'excuse-t-il, embarrassé.

La cliente se faufile et Robinson reporte son attention sur Jarvis.

— Je crois que tu devrais retourner à l'hôpital.

— Quoi ? Tu n'as pas à me dire quoi faire !

— Ne crie pas comme ça ! Je ne te dis pas quoi faire, je te donne mon opinion, c'est tout… C'est quoi ton problème, bon sang ! réplique Robinson en se passant la main sur le visage. Comment se fait-il que tu aies toujours la mauvaise réaction ? Tu n'as pas simplement échoué au test de comportements, tu as dû pulvériser tous les records. Ta place est à la CIA ou au Pentagone, pas au FBI.

— Tu crois vraiment ?

— Oui, il y a des chances, Nicole.

— Tu en es bien certain ?

— Oui, oui, Nicole… je dirais qu'il y a des chances.

— Vous désirez voir ces pots de crème de nuit, Madame ? les interrompt timidement la vendeuse de retour avec le bon trousseau de clefs.

Surprise, Jarvis se retourne brusquement vers la jeune femme qui est en train d'ouvrir le panneau vitré.

— Non, attendez ! Quels sont ces pots-là, juste à côté ? Ce sont des crèmes de nuit aussi ?

— Oui, c'est bien ça.

— Ce sont vos plus chers ?

— C'est exact, mais ils devraient être en solde d'ici un jour ou deux. Si vous attendez, vous pourriez économiser 40 %. Par contre, si vous achetez aujourd'hui dans l'intention de revenir demain réclamer le rabais, nous ne pourrons malheureusement pas vous l'accorder. Il serait donc préférable d'attendre, surtout à ce prix, conseille gentiment la jeune conseillère, le sourire aux lèvres.

— Je vous remercie, mais je vais quand même en prendre deux tout de suite.

— Vous en êtes bien certaine ? En les achetant demain, vous pourriez économiser un peu plus de 60 dollars.

— Je vous remercie, mais je vais les prendre tout de suite.

— C'est comme vous voulez, termine la vendeuse en retirant les deux pots de crème du présentoir. Je vous les emballe ?

— Non merci, donnez-les-moi, ça ira parfaitement comme ça.

— Avez-vous besoin d'autre chose ? demande la vendeuse en tendant les deux petites boîtes à Jarvis.

— Non, ce sera tout, merci.

— Vous n'avez qu'à les payer à la caisse en sortant, avec vos autres achats, explique la vendeuse avant de se diriger vers une autre cliente.

Jarvis se retourne vers Robinson et agrippe la poignée du panier qu'il transporte obligeamment.

— Que fais-tu ? je vais le porter ! réplique-t-il.

Robinson resserre sa prise et fait brusquement volte-face, comme un judoka. Jarvis n'a d'autre choix que de lâcher le panier. Mais, loin de la surprendre, cette manœuvre est exactement celle qu'elle attendait. De son autre main, elle glisse un des deux petits pots de crème dans la poche du manteau de Robinson qui, dans l'action, n'y voit que du feu. Jarvis se retourne et poursuit sa route.

— Mais où vas-tu ? Qu'est-ce que tu fais ?... Attends, Nicole, je ne t'ai encore rien dit. Simon m'a confié toute une liste de choses à te dire. Hé ! Tu ne pourrais pas t'arrêter un peu. Tu ne crois pas que c'est déjà assez difficile comme ça de jouer la troisième roue du carrosse, supplie Robinson en courant derrière Jarvis.

Jarvis accélère le pas et se dirige vers la première caisse libre qu'elle aperçoit. Robinson a peine à la suivre.

— Attends-moi, je dois te parler d'un tas de trucs.

Mais Jarvis maintient le rythme.

— Simon est fou de toi, Nicole et je sais que c'est réciproque... Je sais que c'est idiot de venir plaider la cause d'un ami, mais Simon n'est pas n'importe quel ami. Et, de toute façon, si je me trompais sur ses intentions et qu'il te faisait le moindre mal, je n'hésiterais pas à prendre ta défense.

— Ça, c'est vraiment gentil, Denis et je m'en souviendrai, lui dit-elle en se tournant vers lui, tout sourire, sans pour autant ralentir la cadence.

— Arrête de me faire courir, Nicole.

Jarvis s'arrête devant la caissière et dépose le pot de crème sur le tapis roulant.

— Je ne le prendrai pas finalement, j'ai changé d'avis. Merci.

— Bonne journée, lui répond la caissière en ramassant le pot qu'elle glisse sur la tablette camouflée sous sa caisse.

Robinson arrive en soufflant et dépose le panier sur le tapis roulant, pendant que Jarvis poursuit sa route vers la sortie.

— Hé ! Où vas-tu ? ... Et tout ça ! lance Robinson en pointant le panier rempli d'articles féminins.

Jarvis ne lui répond pas. Robinson sourit piteusement à la caissière.

— Excusez-la.

L'impétueuse agente franchit les panneaux d'alarme périphérique de la pharmacie et file dans le centre commercial.

— Hé ! Attends-moi ! crie Robinson qui s'élance à sa suite.

8

18 h 30, devant la maison de Chris Lowen en banlieue de Baltimore…

Toujours en poste à bord de sa voiture brune à quelques mètres de la maison de Lowen, l'officier consulte sa montre. Il attrape les jumelles sur le siège passager et tente en vain de voir l'intérieur de la maison à travers les rideaux entrouverts du salon. Déçu, il remonte les jumelles vers l'étage où des toiles blanches obstruent complètement les fenêtres. Il les repose, s'enfonce dans son siège, croise les bras et ferme les yeux. Une voiture noire arrive et se gare lentement derrière la sienne. Laissant son moteur en marche, le conducteur sort du véhicule en laissant la portière ouverte, s'accroupit et se dirige vers l'officier assoupi en scrutant les alentours. Après mille et une précautions, il atteint enfin la portière côté chauffeur et saisit la poignée. L'officier en poste ouvre les yeux, se retourne vivement et croise le regard de l'homme à travers la vitre. Il sursaute, mais retrouve immédiatement son calme dès qu'il reconnaît son confrère, l'officier Brown. Soulagé, il baisse la glace.

— Tout est calme. Rien n'est plus facile que de protéger ce dingue.

— C'est bon, je prends le relais.

— Oh ! Écoute, j'ai une blague pour toi. C'est une blonde qui passe devant une boutique de chaussures et qui repère une belle paire d'escarpins en crocodile. Elle entre et interpelle le vendeur. *Elles sont à combien vos chaussures de crocodile ? Elles sont à 400 dollars*, lui répond celui-ci. *C'est trop cher pour moi !* s'écrie la blonde. Elle accourt vers le lac voisin, et loue une chaloupe et un fusil. *Pan*, elle tue un crocodile, puis un second et un troisième. Alerté, un garde-chasse arrive en courant au bord de la rive et observe la tireuse. *Pan*, la blonde tue un quatrième crocodile. *Pourquoi tuez-vous tous ces crocodiles* ? lui crie le garde-chasse. La blonde se retourne et répond : *Je n'en ai pas encore trouvé un avec des chaussures*.

Les deux officiers se mettent à rire.

— Elle est bien bonne ton histoire, mais je la connaissais déjà. Allez, file-moi tes jumelles et va te reposer, murmure le remplaçant en donnant une tape sur l'épaule de son collègue manifestement épuisé, avant de retourner à son véhicule dont il coupe le contact et referme la portière.

La voiture brune démarre et l'agent exténué par son tour de vigie quitte lentement les lieux.

9

19 h, hôpital régional de Culpeper, Virginie…

Adossé à ses oreillers, Seward est en train de lire quand Robinson entre en coup de vent. Impatient d'entendre le rapport de son ambassadeur, Seward dépose les pages photocopiées à côté de lui.

— Nicole n'est pas avec toi ?

— Merci pour l'accueil, c'est très touchant.

— C'est que je t'attendais beaucoup plus tôt. J'ai eu le temps de lire cent fois tous ces trucs sur le syndrome de Stockholm que l'infirmière m'a laissés. Je commençais à m'inquiéter.

— Bien, j'ai eu un petit empêchement, explique Robinson en s'installant au chevet de Seward.

— Qu'est-ce qui t'est arrivé ?

— Je te raconterai plus tard.

— Et Nicole ?

— Justement Nicole.

— Quoi, il lui est arrivé quelque chose ?

— Non, rien. Tu n'as pas à t'inquiéter. J'ai bien intercédé en ta faveur, mais lui parler, c'est comme parler à un mur.

— Aide-moi à me lever, ordonne Seward en soulevant les draps.

— Mais tu es dingue, Simon ! Qu'est-ce que tu fous ? D'après le médecin, tu en as pour au moins deux semaines cloué dans ce lit. Ça ne valait pas la peine qu'on te sorte de cette forêt si c'est pour aller te tuer maintenant.

— Écoute, Denis, je dois voir Nicole.

— Mais tu ne peux pas sortir d'ici dans cet état. Tu veux te faire enfermer ou quoi ?

— Mes vêtements doivent être dans le vestiaire derrière toi.

— Attends une minute, Simon. Nicole est bien belle, mais crois-moi sur parole, tu ne veux pas aller faire tes emplettes dans une pharmacie avec elle.

Robinson étend le bras vers la sonnette, mais Seward le retient avant qu'il n'ait le temps d'appuyer sur le bouton. Il regarde Robinson droit dans les yeux.

— Denis, je dois en avoir le cœur net.

Robinson regarde par terre, puis se lance.

— Cet après-midi, lorsque j'ai fini par rejoindre Nicole, elle était dans une pharmacie. Pendant qu'elle faisait ses emplettes, j'ai plaidé ta cause. C'est alors qu'elle a demandé à une vendeuse de lui sortir deux pots de crème. Elle en a gardé un dans sa main et glissé l'autre dans ma poche à mon insu. Elle s'est ensuite dirigée en courant vers la caisse, a déposé son pot sur le comptoir en disant qu'elle ne le prenait pas et est sortie de la pharmacie en courant. Je me suis lancé à sa poursuite, le pot de crème toujours dans la poche.

— Tu t'es fait arrêter pour vol à l'étalage ? demande Seward, abasourdi.

— Attends ! Nicole a fait demi-tour et m'a rejoint juste avant que je franchisse les panneaux d'alarme. Elle a glissé sa main dans la poche de mon manteau et en a ressorti le pot qu'elle m'a remis. Puis elle est repartie aussi vite. Tiens, termine Robinson en tendant un sac à Seward.

Qu'est-ce que c'est ?

— Ce sont ses emplettes. Je me suis dit qu'elle apprécierait sûrement que tu les lui offres.

Seward s'empare du sac avec un large sourire.

— Je vais t'aider, Simon.

Robinson aperçoit alors tous les fils qui relient Seward à son attirail de sacs en plastique suspendus.

— Mais comment va-t-on s'y prendre pour débrancher tout ça ?

Seward attrape fermement le ruban adhésif qui retient les fils à son bras et l'arrache d'un coup. Puis il retire lentement l'intraveineuse.

— Tu me prêtes ta voiture ?

— Quoi ! Tu es malade. Je veux bien t'aider à sortir d'ici, mais il n'est pas question que tu ailles te foutre en l'air avec ma caisse.

— Denis, tu ne peux pas me faire ça…

— Denis, tu ne peux pas me faire ça, répète bêtement Robinson en imitant son ami. On verra bien. Allez, bouge-toi.

Seward s'accroche au bras de son fidèle complice et se redresse lentement.

10

19 h 30, North Beach, Maryland…

À bord de la Cavalier noire, Neumann poursuit son chemin sur Chesapeake Baker Road jusqu'au panneau indiquant la route 261. Il tourne à gauche et roule jusqu'à la route côtière appelée Bay Avenue. Soulagé devant le spectacle de la mer qui s'étale à perte de vue, il dépose sa carte sur le siège passager. Au bout d'un moment, il s'arrête le long d'un chemin de sable et de pierres qui court sous les arbres jusqu'à la plage.

Assis paisiblement derrière le volant, il regarde les petites vagues qui viennent inlassablement terminer leur course sur le bord de la plage. Un petit garçon vêtu d'un pull tricoté main à l'effigie de Babar joue avec un ballon. Soudain, un homme arrive en courant et l'attrape par derrière. L'enfant hurle. L'homme le hisse à la hauteur de son visage et lui souffle sur le

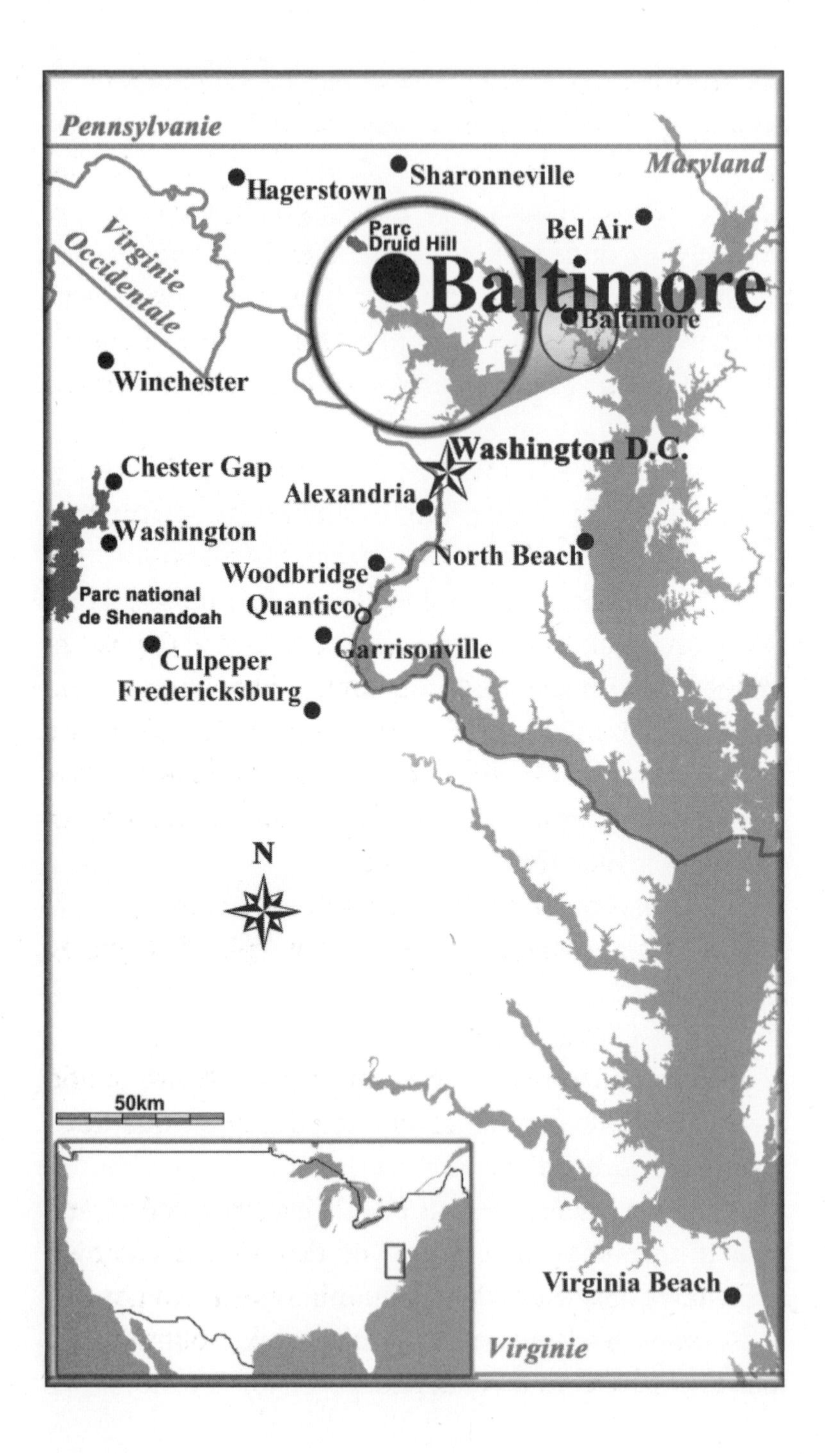
Pennsylvanie
Maryland
Hagerstown
Sharonneville
Virginie
Occidentale
Parc
Druid Hill
Bel Air
Baltimore
Baltimore
Winchester
Washington D.C.
Chester Gap
Alexandria
Washington
North Beach
Woodbridge
Parc national
de Shenandoah
Quantico
Garrisonville
Culpeper
Fredericksburg
N
50km
Virginia Beach
Virginie

ventre. Le garçonnet rit aux éclats en se débattant. À bout de souffle, l'homme le dépose sur le sable, attrape le ballon qu'il met sous son bras et tend la main au bambin. Les deux complices s'éloignent, main dans la main. Neumann prend son portable et vérifie l'heure sur sa montre. Puis il sort un petit bout de papier carré tout chiffonné de la poche intérieure de son blouson, le défroisse du plat de sa main et compose le numéro qui y est inscrit.

Assis tranquillement autour d'une table ronde, un couple et leurs deux fillettes entament à peine leur goûter quand la sonnerie du téléphone résonne.

L'homme lance à sa conjointe un coup d'œil signifiant que c'est à son tour de répondre. La femme dépose sa fourchette et se lève en maugréant. Elle remarque alors que sa benjamine lui sourit. Elle ne peut s'empêcher de lui retourner son sourire en haussant les épaules. Puis elle se dirige vers la cuisine, contourne le comptoir et décroche sèchement le combiné.

— Oui, répond-elle sans plus de cérémonie.

— Puis-je parler à Allan, s'il vous plaît ? demande Neumann.

— C'est de la part de…

— Oh ! Allan est un bon ami à moi. Notre amitié remonte à une époque lointaine. Depuis, nous nous sommes perdus de vue.

— Un moment, s'il vous plaît. Allan, mon chéri, c'est pour toi ! crie la jeune femme en déposant le combiné sur le comptoir avant de regagner la salle à manger.

Allan engouffre une dernière bouchée, soupire à son tour et se dirige vers le téléphone.

— C'est qui ? demande-t-il à voix basse en croisant sa conjointe.

Cette dernière hausse les épaules et lui donne un baiser au passage avec un sourire espiègle avant de regagner sa place à côté de sa cadette qui se choisit avec grand sérieux un quartier de pomme.

— Oui, répond Beck d'un ton jovial, en cachant sa contrariété à son interlocuteur.

— Allan Beck ?

— C'est exact… et vous êtes ? s'enquiert Beck qui ne reconnaît pas la voix à l'autre bout du fil.

— Allan, Allan, Allan. Mon bon ami Allan. Je ne te dérange pas en plein dîner, j'espère ? Au fait, quelle heure est-il à Anchorage ?

— Il est près de quinze heures trente. Mais qui êtes-vous ? Votre voix ne me dit rien.

— Écoute attentivement ce que je vais te dire, Allan. Apparemment, tu n'as pas reçu de mes nouvelles. Est-ce que tu as ouvert ton courrier dernièrement, Allan ?

— Quoi ! C'est une blague ? Je n'ai pas de temps à perdre.

— Va vérifier le relevé de ta carte de crédit Allan.

— Laquelle ? J'en possède des tas.

— Celui de LA carte de crédit ! précise Neumann en appuyant sur le LA.

Surpris, Beck répond avec un début d'inquiétude dans la voix.

— J'y vais.

— C'est bien, je t'attends.

Beck ouvre nerveusement le tiroir à couteaux, le referme aussi vite, ouvre le tiroir voisin et glisse le combiné entre des nappes et des serviettes de table, le referme doucement et court vers la salle à manger.

— Qui était-ce ? demande sa femme en le voyant réapparaître.

— Papa ! crie Shaila, la cadette de la famille.

Sa mère se tourne vers elle et lui pince gentiment la joue.

— Qu'est-ce qu'elle veut, ma petite poupée d'amour ?

La fillette éclate de rire, pendant que Beck passe en coup de vent sans même les regarder. Il file jusqu'au salon, attrape une pile d'enveloppes sur la table basse et se met à les trier fébrilement en les lançant les unes après les autres sur le fauteuil. Il trouve enfin celle qu'il cherche et jette les trois dernières sur le meuble. Il examine l'enveloppe sous tous ses angles, enfonce son index dans le trou de la languette et la déchire sur toute la longueur. Il sort un relevé de dépenses, le détaille fiévreusement et blêmit, subitement en sueurs. Il se dirige vers l'escalier et grimpe deux à deux les marches qui mènent à l'étage.

— Allan ! Qu'est-ce que tu fabriques ? l'interpelle sa conjointe en haussant la voix.

— Rien du tout, ce n'est qu'un sondage.

— Un sondage ! Je te rappelle qu'on est en train de prendre notre goûter du samedi en famille.

— C'est important pour nos enfants que j'y réponde, ma chérie.

Beck rentre dans son bureau dont il referme la porte et prend le combiné sur sa table d'ordinateur.

— 50 000 dollars pour une fondation ! Qu'est-ce que c'est que ces conneries ? maugrée-t-il à mi-voix pour ne pas être entendu de la salle à manger.

— Vous l'avez reçu ? Bien. Je dois vous avouer que je suis surpris de votre générosité, agréablement surpris... Bienvenue au club ! J'ai téléphoné juste au bon moment, si j'ai bien compris.

— Tout ça, c'est des conneries ! Je vais faire annuler la transaction tout de suite. Comment se fait-il que personne ne m'ait téléphoné pour confirmer une telle somme ?

— Mais ils l'ont fait. Ils ont demandé à vous parler. Je leur ai dit que vous étiez à côté de moi, puis j'ai changé un peu ma voix et... bingo ! Ils ne m'ont posé que quelques questions banales. Je n'ai eu aucun mal à leur répondre, car j'avais déjà eu le temps de passer quelques coups de téléphone. De toute façon, vous m'aviez transmis la plupart des réponses vous-même mardi soir dernier. Tout est parfaitement en règle.

— Je ne dispose pas de cette somme.

— J'avoue que cela m'a surpris, mais oui. Je vous rappelle que la transaction a déjà été effectuée, lance Neumann en ricanant. J'aurais peut-être dû inscrire un plus gros...

— Ils vont l'annuler sur-le-champ, sur un simple coup de téléphone. Vous allez devoir rendre cet argent, que ça vous plaise ou non ! vocifère Beck qui vient de trouver une échappatoire.

— Non, vous n'allez appeler personne, lui conseille Neumann d'un ton autoritaire. Vous n'avez pas dû lire les détails de la transaction. Regardez donc attentivement ce qui est écrit sur le relevé.

Beck lit les inscriptions une à une en triturant le relevé, puis tourne la page.

— *Fondation Photos*, marmonne-t-il enfin, oppressé.

Neumann glisse sa main droite dans la poche de son blouson. Au même moment, sur Bay Avenue, un camion semi-remorque double à une vitesse d'enfer un automobiliste, à quelques mètres de lui. Il crée un tel déplacement d'air qu'il fait vibrer les vitres de la Cavalier. Neumann ne peut s'empêcher de suivre du regard le mastodonte qu'il a à peine le temps d'entrevoir tant il roule vite. Puis il sort une pile de photos d'enfants nus en posture dégradante.

— Qu'est-ce que nous avons là ? Des photos ! Quel hasard ! Et en prime, une enveloppe adressée à ton nom, Allan.

Neumann sort une enveloppe de la même poche.

— Qu'est-ce que vous racontez ? Vous n'avez aucune photo qui pourrait être gênante pour moi. Je ne vois pas du tout de quoi vous parlez. Allez au diable !

— Non, c'est vrai que vous n'apparaissez pas sur ces photos, Allan. Il s'agit plutôt de la collection privée de Warren, un bon ami à moi, tout comme vous, Allan. Sur ces photos, Warren se trouve en compagnie d'enfants… Vous avez payé très cher pour ces photos, Allan. Je crois que je vais tout de même vous les envoyer. Attendez, votre adresse c'est bien le 101, 6e Avenue Est, Anchorage, Alaska, 99501, 907 276-4441. C'est bien cela, n'est-ce pas ?

Non, excusez-moi. Où avais-je la tête ? C'est l'adresse des Bureaux du FBI que je viens de vous lire. Ce n'est, somme toute, pas très loin de chez vous, Allan. Combien de temps leur faudrait-il pour débarquer d'après vous ?

Beck, dont les jambes commencent à mollir, tire sa chaise et s'y laisse tomber, le combiné rivé à l'oreille.

— Voilà où nous en sommes. Soit vous raccrochez, vous vous empressez d'appeler votre compagnie de carte de crédit pour annuler ce paiement et j'envoie le tout au FBI, soit vous laissez courir et… qui sait… vous n'entendrez peut-être plus jamais parler de moi.

Beck réfléchit un moment.

— Vous bluffez. Vous n'oserez jamais aller au FBI. Tout cela ne m'incrimine en rien.

— *Très jeunes enfants pour fantasmes en tous genres. Nous réalisons même vos demandes spéciales… cliquez ici.*

Beck revoit alors le site Internet. Il s'effondre en larmes et tombe en bas de sa chaise.

— Je ne peux pas payer une somme pareille. Les compagnies donnent des cartes de crédit à n'importe qui aujourd'hui. Je vais devoir vider tous mes comptes et, là… Tam va se rendre compte de tout. Comment vais-je lui expliquer ça ? Qu'est-ce que je vais faire ? Qu'est-ce que je vais faire ? répète-t-il à travers ses sanglots.

— Vous auriez dû y penser avant. Tam, c'est votre petite amie ?

— Oui, balbutie Beck qui s'est recroquevillé sur lui-même, le dos appuyé contre son bureau.

— C'est votre femme ?

— Non, nous vivons ensemble.

— Vous n'êtes pas mariés ?

— Non.

— Bien sûr ! lance Neumann, moqueur. Vous avez des enfants ?

— Deux filles.

— Quel âge ont-elles ?

— Cinq et huit ans.

— Vous les aimez ?

— Je ferais tout pour elles.

— Comme c'est attendrissant… Vous savez, il y a beaucoup d'individus comme vous sur cette planète. Plein de gens adoptent cette sorte de morale élastique, pour ne pas dire à deux vitesses, qui permet d'aimer et de chérir certaines personnes, généralement de leur entourage, pendant qu'ils abusent des autres, physiquement ou économiquement. Vous êtes plusieurs, Allan, à souffrir de cette pathologie, mais je ne crois pas avoir le temps de m'occuper de chacun de vous personnellement. Alors, je cherche une nouvelle façon de procéder. Je dois innover. Je vais vous proposer quelque chose. Vous êtes toujours là, Allan ?

— Oui, oui, répond Beck, en pleurs.

— Bien. Vous savez, les 50 000 dollars sont pour une bonne cause. Ils sont destinés à venir en aide à une artiste peintre. Malgré son talent indéniable, elle n'arrive pas à percer ni même à vivre de son art. Pour survivre, elle doit pratiquer toutes sortes de métiers beaucoup moins reluisants et beaucoup moins valorisants. Elle est pauvre, Brésilienne et vit seule avec deux bouches à nourrir. Vous n'avez donc pas à vous en faire, cet argent sera très bien placé, Allan.

Comprenant que son interlocuteur se joue maintenant allégrement de lui, Beck fond en larmes.

— Vous m'écoutez toujours ?

— Oui, répond Beck en hochant mollement la tête comme s'il s'abandonnait corps et âme au bon vouloir de la voix à l'autre bout du fil.

— À vrai dire, Allan, je ne sais pas si je vais pouvoir me contenter longtemps de 50 000 dollars. Je crois bien que j'aime le métier de maître chanteur. Dites-moi, votre petite amie est belle, vraiment belle ? Et votre fillette, la plus jeune, comment est-elle ?

— Ne touchez pas à ma famille ! s'étrangle Beck, la salive au coin des lèvres.

— Mais quel bel élan de virilité, Allan !

*
* *

Dans la salle à manger, Shaila agite une petite main aux doigts écartés en regardant sa mère.

— Maman, maman ! J'ai la main toute collante !

— Essuie-toi, ma chérie.

— Je n'ai pas de serviette.

Tam regarde autour de l'assiette de la fillette, puis sur le reste de la table. Pas la moindre serviette à l'horizon. Elle soupire.

— C'est ça quand on demande à votre père de mettre la table ! critique-t-elle en élevant la voix à l'intention de son conjoint au 2e étage. Mais on l'aime quand même, ajoute-t-elle à voix basse.

Les deux petites éclatent de rire. Tam se lève et se dirige vers la cuisine.

*
* *

— Vous avez deux fillettes, Allan. Avez-vous déjà entendu parler du désir de Caïn ?

— Non.

— Non, bien sûr, soupire Neumann. Les cours de préparation à l'accouchement laissent vraiment à désirer. Il s'agit pourtant d'une étape cruciale du développement de l'enfant. C'est ce que je considère comme ma plus grande découverte, ma plus grande contribution à la psychanalyse.

*
* *

Tam contourne le comptoir et aperçoit le fil du téléphone qui part du mur jusque dans le tiroir. Elle soulève nappes et serviettes et sort le combiné. Elle perçoit alors la voix de l'interlocuteur. Elle hésite un peu avant de porter le combiné à son oreille, tout en refermant le tiroir avec sa hanche.

— Maman, Shaila a renversé son verre sur la table ! s'indigne haut et fort son aînée, Patricia.

— Non, c'est elle, maman, qui a fait bouger la table ! crie à son tour la cadette.

— Menteuse ! rétorque Patricia.

— Menteuse toi-même ! surenchérit Shaila.

— Maman ! Shaila vient de me donner un coup de pied.

Excédée par les cris des fillettes, Tam coupe court à sa carrière d'espionne, repose le combiné sur son socle et accourt vers les deux gamines, des serviettes de table à la main.

— Restez sages les filles, ne vous disputez pas !

— Je te déteste ! Papa et maman aussi ! crie Patricia en tirant une mèche de cheveux de sa petite sœur.

Shaila éclate en sanglots.

— Qu'est-ce que tu fais là ? gronde la mère qui a vu le délit en tournant le coin de la salle à manger.

— C'est elle qui a commencé, maman, se défend l'aînée prise sur le fait, les yeux noyés de larmes.

Le jus renversé atteint maintenant le bord de la table, entre les deux fillettes.

— Ça coule par terre ! s'écrient alors les deux sœurs à l'unisson.

*

* *

— J'ai entendu du bruit, Allan. Vous êtes toujours à l'écoute ?

— Oui.

— Je disais donc que la présence du désir de Caïn me sauta aux yeux un jour, à Paris, alors que je parcourais tranquillement un essai de la psychanalyste autrichienne Mélanie Klein sur un banc public, face à la Seine. Je m'en rappelle comme si c'était hier, Allan. Que de beaux souvenirs. Un article intitulé *Les principes psychologiques de l'analyse des jeunes enfants* avait particulièrement retenu mon attention. Klein y rapportait qu'un jour, alors qu'elle observait de jeunes enfants qui jouaient paisiblement, l'un d'eux se mit à frapper violemment le jouet préféré de son petit frère qui éclata aussitôt en sanglots.

Neumann marque alors une pause, comme s'il donnait un cours magistral, en oubliant que Beck se morfond à l'autre bout du fil.

— Personne ne comprit à l'époque que l'aîné avait effectué ce geste, car il voulait éliminer son jeune frère. Pour pouvoir le décoder, Allan, il faut savoir une chose : *tout comportement humain, aussi pervers et abominable soit-il, prend sa source dans un instinct sain et totalement pur*. Pourquoi ce petit garçon pensait-il à éliminer son jeune frère, Allan ?

— Pour…

— Non, Allan. C'était pour assurer sa survie. Mais où ce comportement prend-il sa source ? Un garçonnet veut-il dévorer son petit frère parce qu'il a faim ? Bien sûr que non, Allan, enchaîne Neumann sans même lui laisser la chance de répondre. Mais alors, quel lien y a-t-il avec la survie ? En réalité, le désir profond de ce garçon n'était rien d'autre que celui du bébé coucou ou de l'aiglon qui tue les autres membres de sa couvée pour rester seul dans le nid afin de bénéficier de l'attention exclusive de ses parents. Nos bébés sont en fait programmés génétiquement pour commettre de tels gestes. Voilà le lien caché, Allan ! Et, apparemment, ils n'ont pas tort de penser de la sorte, car toutes les études démontrent que les enfants uniques sont mieux traités, atteignent plus facilement leur autonomie et ont une meilleure réussite sociale et économique. Il faut croire que l'instinct ne ment pas. J'ai alors nommé cette volonté de destruction fratricide *le désir de Caïn*, lance Neumann, satisfait.

— Aidez-moi, je vous en supplie, Monsieur ! Aidez-moi ! Je suis un grand malade. J'irai me faire soigner, j'ai besoin d'aide.

— De l'aide ! Mais il est trop tard pour crier à l'aide, Allan.

— C'est une maladie ! Je vous en supplie ! répète le pédophile, la voix affaiblie par l'émotion.

— Trêve de plaisanteries, Allan, il se fait tard. J'ai un marché à te proposer. On oublie les 50 000 dollars. Je me chargerai moi-même d'aider cette jeune artiste peintre. De plus, je m'en voudrais qu'elle ait à vous devoir sa réussite. J'effacerai donc votre contentieux sur l'ardoise dès demain matin. En revanche… vous vivez en Alaska… vous aimez sûrement la chasse.

Beck sanglote sans répondre.

— Bien… vous possédez un fusil, n'est-ce pas ? Quand on n'a pas été trop dur avec ses enfants, ils gardent comme unique souvenir les bons moments passés avec nous. Savais-tu cela, Allan ? Je connais deux fillettes qui garderont sûrement de bons souvenirs de leur papa…, dit-il en baissant le ton. Puis il coupe la ligne.

Beck laisse tomber le combiné, s'écroule, entoure ses jambes de ses bras et se replie en boule.

— Allan, qu'est-ce que tu fais ? crie sa conjointe de la salle à manger.

Beck étire son bras tremblant jusqu'à son bureau, ouvre le tiroir du bas, extirpe une enveloppe soigneusement cachetée qui est collée dessous, la déchire et sort une clef USB. Il la casse en deux morceaux qu'il avale l'un après l'autre. Puis il se hisse sur ses jambes flageolantes, ouvre la garde-robe et sort une pile de draps qui tombent en cascade sur le sol. Il en ramasse un premier et le noue à un second. Il attache une extrémité au pied de son bureau, enroule l'autre extrémité autour de son cou et le noue solidement. Il ouvre la fenêtre, l'enjambe et se jette dans le vide. Le bureau glisse sur le plancher de bois dur et s'écrase contre le mur avec un bruit fracassant.

Tam sursaute et pousse un hurlement en tournant la tête vers l'escalier. Les vertèbres de Beck cèdent sous son poids et son corps tressaille une dernière fois avant de se balancer doucement dans le vide.

11

22 h 30, Woodbridge, Virginie...

Après avoir déposé Robinson chez lui et s'être changé, Seward gare le véhicule de son ami devant l'immeuble où réside Jarvis. Prenant son courage à deux mains, il s'empare de la douzaine de roses couchée sur le siège passager et du sac qui contient les articles choisis par Jarvis à la pharmacie. Puis il entre dans le bâtiment en briques rouges, gravit les marches et s'arrête devant le logement de Jarvis. Il replace sa cravate, se recoiffe et frappe deux coups timides à la porte. Il patiente un peu, puis frappe de nouveau. Voyant que personne ne répond, il teste la poignée. Elle tourne librement dès sa première tentative. Il applique une légère poussée sur la porte qui s'ouvre sans la moindre résistance. Dans la noirceur du logement aux rideaux fermés, seule la lueur d'une lampe émane du salon à sa gauche.

— Il y a quelqu'un ?

Seward pénètre à pas feutrés dans l'appartement et dépose le sac en plastique sur la table d'entrée. Attiré par le halo de lumière, il s'avance vers le salon et aperçoit des cheveux mouillés étalés sur le bras du canapé. Jarvis s'y est endormie en position fœtale, emmitouflée dans un peignoir blanc. Seward retire son manteau et le dépose doucement sur ses pieds nus ; un léger sourire se dessine sur les lèvres de la dormeuse. Il s'accroupit à la hauteur de son visage.

— Après ton départ précipité ce matin, entame-t-il de sa voix la plus douce, j'étais si bouleversé que je me suis évanoui.

Une mèche de cheveux glisse sur la joue de Jarvis. Seward pose doucement son index sur son front et la repousse délicatement derrière son oreille. Jarvis ouvre lentement les yeux. Seward brandit le bouquet de roses sous son menton.

— C'est pour toi.

Jarvis plonge le nez dans le bouquet et se laisse griser par l'odeur des roses.

— Merci, murmure-t-elle en saisissant la gerbe de fleurs. Tu sais, l'autre jour, je n'aurais pas dû dire à Jamison que c'était mon idée. Tu avais raison, Simon.

— Ne revenons pas là-dessus, c'est du passé. Cela n'a plus la moindre importance maintenant. Oublie tout ça.

Jarvis le regarde avec tendresse pendant un long moment.

— Tu joues à un jeu dangereux, Simon. J'espère que tu sais ce que tu fais.

Ce dernier approche ses lèvres de celles de Jarvis et l'embrasse langoureusement, savourant pleinement ce moment qu'il attend depuis si longtemps. Jarvis fond littéralement sous l'étreinte et lance les roses qui atterrissent dans le couloir. Seward, qui ne veut pas brusquer les choses, s'écarte doucement, pleinement satisfait de ce premier baiser. Mais Jarvis enroule ses bras autour de son cou et s'agrippe de toutes ses forces. Surpris, Seward se redresse : elle maintient l'étreinte. D'un brusque coup d'épaule, il fait glisser son veston sur le sol, ramène le corps de sa partenaire contre le sien et l'embrasse avec fougue. Jarvis s'assoit sur ses hanches, croise ses jambes derrière son dos et se soude à lui. Résolu, Seward s'engage dans le couloir qui mène à la chambre. Jarvis ouvre grand les pans de son peignoir et dégage ses épaules, livrant sa poitrine au regard brûlant de son partenaire. Seward attrape le cordon du peignoir et le dénoue fébrilement. Le vêtement tombe sur le sol, libérant de toute contrainte le corps dénudé de Jarvis. Il pose fiévreusement sa main sur son sein gauche et le caresse doucement.

— Non ! crie alors Jarvis.

Surpris, Seward lâche sa prise.

— Non ! crie de plus belle Jarvis en secouant la tête.

— Tu veux que j'arrête ?

Jarvis attrape la main de Seward et la remet sur son sein.

— Plus fort, Simon. Prends-moi fort !

Le regard plongé dans celui de Jarvis, ce dernier la fixe tendrement et fait rouler son mamelon entre ses doigts. Envoûté, il l'embrasse avec ardeur.

— Attends, Simon, baisse ton pantalon.

Sans hésiter, Seward glisse ses mains entre leurs deux corps et parvient tant bien que mal à défaire la boucle de sa ceinture. Il laisse tomber son pantalon, puis son short boxer. De plus en plus excité, il agrippe les bras de Jarvis et les appuie contre le mur.

— Ah ! crie Jarvis, haletante.

Seward contemple longuement la poitrine de sa prisonnière volontaire. Puis il remonte les bras de sa captive au-dessus de sa tête et la couvre de baisers. Sans crier gare, Jarvis dégage un de ses bras et attrape son sexe. Seward est pris d'un spasme et la plaque fiévreusement contre le mur.

Chut, chut, chut…, calme-toi, susurre Jarvis en mordillant l'oreille de son intrépide partenaire.

Elle replace alors sa main autour de son sexe et l'introduit en elle. Transportés, les deux amants ferment les yeux. Jarvis, qui ne veut pas perdre une seule miette de ce moment de plaisir, serre les cuisses autour du corps de Seward, prolongeant au maximum l'extase qui l'habite. La tête enfoncée dans le cou de son amante, Seward s'enivre de son parfum. Guidé par sa seule passion, il se dirige vers la chambre en glissant sa partenaire le long du mur. Au fur et à mesure qu'ils avancent, Jarvis balaie de la main cadres et autres obstacles qui se dressent sur leur chemin. Soudain, elle aperçoit dans la pénombre la table d'entrée fixée au mur.

— La table, s'écrie-t-elle pour alarmer son impatient amoureux.

Seward ignore l'avertissement et accélère.

— Simon !

Il la décolle aussitôt du mur et évite l'obstacle.

— Les roses ! prévient Jarvis.

Seward stoppe et enjambe les fleurs éparpillées sur le sol. Gonflé à bloc, il file vers la chambre sans relâcher son étreinte.

12

Dimanche matin, au lever du soleil, cimetière de Bifield, Massachusetts…

Garé dans le parking devant l'église, Castelli s'est assoupi, enfoncé dans le siège de sa voiture aux vitres embuées. Réveillé par l'inconfort de sa posture, il consulte le cadran du tableau de bord. Il indique cinq heures quarante-cinq. Il passe sa main sur son visage et observe le cimetière. L'allée est vide. Il baisse légèrement sa vitre électrique, desserre sa cravate et détache le premier bouton de sa chemise. Puis il se déplace légèrement sur son siège et se cale sur l'appui-tête du siège en cuir, les bras croisés. Inconfortable, il tourne la tête. C'est alors qu'il aperçoit dans le rétroviseur une limousine noire qui avance lentement vers lui.

— *Comme promis*, pense-t-il, le regard braqué sur la voiture qui poursuit sa route.

La limousine le dépasse et s'engage dans l'allée étroite menant au cimetière, à quelques mètres devant lui. Soudain, les feux stop s'allument. Castelli se redresse et attrape son portable pendant que le chauffeur en livrée éteint le moteur et descend du véhicule sans se soucier de sa présence. Il contourne la limousine et ouvre la portière à une femme âgée en lui tendant la main. Celle-ci sort du véhicule sous le regard aigu de Castelli, le portable toujours rivé à l'oreille. Tout de noir vêtue, la dame se dirige lentement vers les pierres tombales, suivie de son chauffeur qui porte un énorme bouquet de fleurs. Castelli attend fébrilement la réponse de son interlocutrice, un bloc-notes bien à plat sur ses cuisses et un stylo à la main.

— Quoi !... Merci, répond Castelli, surpris.

Le policier ne prend même pas la peine d'inscrire l'information obtenue. Il rattache le bouton de sa chemise, resserre sa cravate, sort du véhicule et se dirige vers la dame. Alarmé, le chauffeur à l'imposante stature dépose le bouquet sur le premier banc qu'il aperçoit et se dresse au beau milieu du chemin, les jambes légèrement écartées. La main gauche repliée sur son poing droit à la hauteur de ses hanches, le colosse lève la tête avec l'air de dire : *Tu ne passeras pas*. Les deux hommes se toisent. Castelli lui présente sa plaque du FBI. Le chauffeur change subitement d'attitude et s'écarte, libérant ainsi le passage. Castelli le dépasse et s'arrête à deux pas de la dame qui a suivi attentivement la scène.

— Agent Bruno Castelli du FBI. Madame, j'aurais une ou deux questions à vous poser concernant la mort...

— Je sais qui vous êtes, l'interrompt la vieille dame, placide.

Castelli est étonné. La dame se tourne alors vers le banc sur lequel repose le bouquet et jette un coup d'œil en direction de son protecteur et ami. Ce dernier se précipite et reprend la gerbe de fleurs. La vieille dame se dirige lentement vers le banc et s'y assoit en prenant bien soin de laisser une place libre afin que l'agent du FBI l'y rejoigne.

— Je vous attends depuis si longtemps que j'ai fini par croire que ce jour n'arriverait jamais. Je vous imaginais plus jeune et pas du FBI, mais enfin... Ne restez pas là. Venez vous asseoir, l'invite-t-elle d'une voix douce en tapotant le banc.

Castelli s'assoit à ses côtés.

— Je vous ai aperçu dimanche dernier avec une jolie jeune fille blonde, n'est-ce pas, Officier ?

— Oui, j'étais en compagnie de l'agent Jarvis.

La vieille dame soupire.

— Vous n'êtes pas conscient de ce que cela représente pour moi. J'ai longtemps prié pour mourir avant que ce jour arrive, mais Dieu n'a pas répondu à mes prières.

— Je ne connais pas le lien qui vous unit à Auguste Neumann, mais j'imagine que, si vous vous promenez avec une voiture immatriculée à son nom, vous devez l'aimer assez pour vouloir m'aider à le sortir de là avant qu'il ne soit trop tard.

— L'aimer vous dites... l'aimer... Non, vous n'y êtes pas. Il est le seul vœu que Dieu ne m'ait jamais exaucé. En fait, il est ma raison de vivre, répond la dame, attristée.

Castelli baisse la tête.

— J'ai…

— Non, écoutez-moi, l'interrompt de nouveau la dame en prenant sa main gauche dans ses deux mains. Regardez-moi.

Castelli la regarde droit dans les yeux.

— Je suis venue au monde à une époque pas si lointaine où naître fille faisait de vous un citoyen de second ordre, et dont les droits étaient plutôt limités…, car bien qu'ils soient tous nés d'une femme, les hommes ont du mal à les aimer pour ce qu'elles sont. Ils ont été plutôt méchants avec moi, voire très méchants, et ce, d'aussi loin que je me souvienne, raconte-t-elle avec un long soupir. Alors que je n'étais encore qu'une adolescente, j'ai rencontré par hasard un garçon à peine plus âgé que moi. Il n'était pas exceptionnellement beau ni bien vêtu, mais suffisamment pour qu'il m'attire et me fasse rêver. Il m'a donné rendez-vous le soir même dans une vieille grange abandonnée au bord de la ville. Après le souper, j'ai grimpé à toute vitesse dans ma chambre, prétextant faire mes devoirs et réviser une dernière fois mes leçons, comme tous les dimanches. Je suis sortie par la fenêtre et j'ai filé à travers champs pour rejoindre en courant mon premier amour. Je le voyais déjà père de mes enfants. Arrivée à la vieille grange, j'ai vu qu'il n'était pas seul, ils étaient quatre. Ils se sont tous mis à rire. J'ai voulu m'enfuir quand un cinquième, que je n'avais pas vu, a surgi devant moi. Je me suis réveillée neuf jours plus tard à l'hôpital. Une infirmière m'apprit que je ne pourrais jamais porter d'enfants, mais que le fait que je sois encore en vie était en soi un miracle qui valait la peine que je me réjouisse. J'ai pleuré toutes les larmes de mon corps et, pourtant, je n'étais pas encore au bout de mes peines. Le médecin me raconta que j'avais été frappée au bas des reins avec une vieille planche de bois prélevée sur l'un des murs de la vieille grange. La planche avait encore des clous et l'un deux s'était logé entre deux vertèbres. Selon lui, je ne retrouverais plus jamais l'usage de mes jambes. Tout le monde me disait que cette épreuve m'était envoyée par Dieu. Une vieille religieuse, qui travaillait comme préposée à l'hôpital, me raconta un soir qu'elle avait rêvé à moi et que Dieu lui avait confié qu'il m'avait choisie pour remplir une mission, mais qu'il fallait que je sois forte et courageuse. Plus rien ne me raccrochait à la vie... alors je me suis mise à prier. J'ai prié Dieu de toutes mes forces. Trois semaines plus tard, je sortais de l'hôpital sur mes deux jambes. Le médecin n'en croyait pas ses yeux. Peu de temps après, j'allais devenir Sœur de la Charité.

Le jour où le shérif se présenta à la porte de l'orphelinat avec lui, le jour où j'ai vu ce petit garçon, ce jour-là fut le plus beau de ma vie, poursuit la religieuse, les larmes aux yeux. Je l'ai aimé et chéri plus que tout au monde à l'instant même où je l'ai vu. Mais j'étais Sœur de la Charité, une servante de Dieu. Je lui avais voué ma vie, je ne pouvais pas faillir à ma promesse pour m'occuper d'un seul enfant.

La vieille dame s'essuie les yeux et reprend son souffle.

— Lorsqu'ils sont venus les chercher le lendemain, lui et la petite fille, j'ai pleuré toutes les larmes de mon corps. Je n'avais jamais autant pleuré depuis l'hôpital.

Je ne comprenais pas ce qui m'arrivait. Je priais pour lui sans relâche, j'étais inconsolable. J'ai passé presque toute la journée à la chapelle, délaissant totalement mon travail. J'attendais une réponse. Le lendemain, j'ai encore prié toute la journée et toute la nuit dans ma petite cellule, à genoux devant mon lit. Au petit matin, j'entendis pleurer. Il était là, assis sur la première marche de pierre. *Je ne veux plus retourner là-bas* ! me confia-t-il. Il m'aurait enfoncé un couteau dans le cœur qu'il ne m'aurait pas fait plus mal. Dieu m'avait-il investie d'une mission à laquelle j'avais échouée ? En un éclair, j'ai senti mon âme se réduire à néant. C'est alors qu'il se faufila à travers les barreaux de ma petite fenêtre et se blottit contre moi. À son contact, une énergie venue de je ne sais où m'envahit. Dès cet instant, j'ai su que ma vie allait en être bouleversée. Elle était là ma mission, dans mes bras, haute comme trois pommes… Edward. C'était surréaliste. C'était comme si le temps venait de s'arrêter, comme si je l'attendais depuis toujours. Je venais de renaître. J'avais alors une chance de me racheter. Dieu m'offrait une seconde chance et, cette fois, j'étais prête à tout sacrifier pour mener à bien ma mission. Ironiquement, elle consistait à protéger et à aimer celui-là même qui allait vouer sa vie à prouver que Dieu n'existe pas. Cela m'a pris beaucoup de temps à l'accepter. *Ce n'est que le jour où l'Homme n'acceptera plus de mettre au monde des enfants dans une société inéquitable et avilissante que le Paradis arrivera sur Terre*, termine-t-elle en citant son protégé.

13

8 h, université de Boston…

Le soleil commence à peine à briller sur le parking désert quand une Reliant K bleu pâle un peu rouillée fait son entrée. Elle suit les lignes au sol, comme si l'immense parking était bondé. Son propriétaire se gare le plus près possible de la porte. Vêtu d'un pantalon brun et d'un veston de laine à carreaux, il en émerge, un cartable de cuir râpé à la main. Perdu dans ses pensées, il se dirige lentement vers l'établissement scolaire, tête baissée. Soudain, un bruit sourd venant du ciel vient briser le silence des lieux. L'homme relève vivement la tête, alerté par le vrombissement d'un hélicoptère se rapprochant.

Aveuglé par le soleil, il met sa main en visière et plisse les yeux. Une sirène de police derrière lui détourne son attention. Au même moment, il est secoué par un vent violent. L'hélicoptère descend maintenant droit sur lui. Ses vêtements et sa chevelure clairsemée s'agitent dans le tourbillon poussiéreux soulevé par l'engin qui atterrit à quelques mètres de sa voiture. La porte vitrée de la cabine s'ouvre. Un policier saute sur le sol et court en position accroupie vers l'homme totalement pétrifié.

— Professeur Ames ?

— Oui, répond le professeur, les jambes flageolantes.

— Je suis l'agent spécial Castelli du FBI. Veuillez me suivre, s'il vous plaît, l'invite l'officier en lui montrant sa plaque.

Au même moment, une voiture de patrouille fait une entrée fracassante dans le parking. Castelli agite la main en direction des deux occupants.

— Que se passe-t-il ? demande Ames, livide, en suivant son interlocuteur.

— Montez ! lui hurle Castelli qui lutte contre le bruit assourdissant de l'hélicoptère, une main sur la poignée de la portière.

14

Midi, maison de Chris Lowen, en banlieue de Baltimore…

Vêtu d'un jean et d'un t-shirt blanc, le propriétaire est allongé sur son lit, les mains derrière la tête, et contemple le plafond de sa chambre à coucher située à l'étage. Son réveil se met à sonner. D'un geste sûr, il coupe l'alarme et se lève d'un bond.

Il dévale l'escalier, entre dans le salon et entrouvre les rideaux. Il aperçoit une nouvelle voiture stationnée non loin de là, le long du trottoir. Il sait pertinemment qu'il s'agit d'un véhicule de police banalisé en faction. Il ouvre la penderie de l'entrée, choisit une paire de chaussures de sport encore dans sa boîte d'origine ainsi qu'un blouson de cuir flambant neuf de style aviateur qu'il enfile aussitôt avant de monter la fermeture à glissière jusqu'au cou. Il se précipite à la cuisine et ramasse sur une patère une casquette rouge, accrochée à côté de son blouson de toile de tous les jours. Il l'enfonce jusqu'aux oreilles et vérifie l'heure sur sa montre-bracelet. Il hume une grande bouffée d'air, ouvre fébrilement la porte et file à toute allure vers sa fourgonnette. Il s'assoit derrière le volant, attrape ses lunettes fumées qui reposent sur le tableau de bord et démarre le moteur. À deux pas de là, le policier en vigie, qui était perdu dans ses pensées, se redresse sur son siège en apercevant la fumée sortir du tuyau d'échappement du véhicule de Lowen. Ce dernier recule dans la rue, puis embraye en marche avant et s'élance sur la route.

— Voiture 119, ici voiture 119. Le suspect quitte sa demeure. Je répète, le suspect quitte sa demeure, signale nerveusement l'officier à la répartitrice.

Le policier prend aussitôt en chasse la camionnette qui s'est immobilisée au stop, à quelques mètres devant lui. Lowen accélère en prenant bien soin de respecter la limite de vitesse. Il roule encore un moment avant de s'arrêter à la première station-service qu'il croise. Il sort du véhicule, dévisse le bouchon de son réservoir à essence et y introduit le pistolet de distribution sous l'œil attentif de l'officier qui s'est garé à côté d'un mastodonte noir, dans la section des semi-remorques. Lowen tient le pistolet d'une main pendant que, de l'autre, il joue avec la visière de sa casquette. Il regarde le compteur de la pompe et lâche la détente à 15 dollars. Il passe à la caisse où il fait la queue derrière un camionneur, lui-même derrière deux vacancières en tenue décontractée, dont l'une tient une carte routière à la main. Son tour arrive enfin.

— Pardon, Mademoiselle, pourriez-vous me donner la clef des toilettes, s'il vous plaît, demande-t-il en déposant quinze dollars sur le comptoir.

— Vous n'en avez pas besoin, elles sont juste derrière vous, lui répond la jeune caissière en affichant son plus beau sourire malgré la file qui s'allonge.

Lowen se retourne, franchit le rayon des friandises, puis celui des revues où il croise un homme le nez enfoui dans une revue pornographique. Lowen le dépasse sans y prêter attention et s'enferme dans les toilettes. L'homme dépose la revue à sa place, tout en haut de l'étagère, enfile un blouson de cuir de style aviateur flambant neuf qu'il tenait enroulé sous le bras, sort une casquette rouge de sa manche et l'enfonce sur sa tête jusqu'aux oreilles. Il glisse la main dans la poche de son blouson, attrape une paire de lunettes fumées qu'il place sur son nez et monte la fermeture à glissière de son blouson jusqu'au cou. Puis il quitte la station-service, fouille dans la poche de son pantalon et sort un trousseau de clés. Tête baissée, il se dirige vers la camionnette blanche de Lowen, sous le regard du policier qui attend sagement. L'homme s'assoit au volant et démarre lentement. Le policier démarre à son tour et reprend la camionnette en chasse. Quelques instants plus tard, Lowen sort des toilettes, sa casquette enfouie dans son blouson qu'il porte bien enroulé sous le bras. Il se dirige lentement vers la sortie en tournant la tête en direction de la jeune caissière qui, trop occupée à répondre à ses nombreux clients, ne lui porte aucune attention. Lowen sort à son tour de la station-service, regarde en direction du semi-remorque noir et sourit. Il est maintenant libre comme l'air. Il enfile son blouson et enfonce sa casquette rouge sur sa tête.

15

13 h 30, mémorial de Lincoln, Washington D.C...

Sous un soleil radieux, Neumann prend le téléphone portable dans la poche de son blouson, l'ouvre et compose un numéro. À l'autre bout, dans son bureau, Madame Darc est assise dans le fauteuil en cuir qui fait dos au Saturne de Goya, l'air désemparé. Elle décide enfin de faire taire la sonnerie insistante du téléphone.

— Oui, bonjour !

— C'est moi.

— Monsieur Neumann, où êtes-vous ?

— Au téléphone, la taquine-t-il en suivant du regard la course d'un avion au loin, le sourire aux lèvres.

— Ils sont ici... dans votre bureau. Ils veulent vous parler, l'informe Madame Darc d'un ton grave, refusant de jouer le rôle de Judas.

Castelli se mord les lèvres en tendant la main vers elle.

— Oh ! s'exclame Neumann en baissant les yeux.

— J'ai déjà prévenu vos avocats, précise Madame Darc, pour qui Neumann représente plus qu'un employeur.

— Je vous remercie, c'est très aimable à vous. Chaque jour, vous m'offrez une raison de plus de me féliciter de vous avoir à mes côtés, répond Neumann, touché par sa délicatesse.

— Je vous les passe, termine Madame Darc, un trémolo dans la voix, en tendant cette fois le combiné à l'agent Castelli.

Ce dernier, un peu déconcerté, s'en empare et le colle à son oreille en inclinant la tête vers la gauche, à la recherche du ton juste.

— Monsieur Neumann, Bruno Castelli du FBI. J'ai vu votre point de presse à la télé hier matin et je tiens à vous féliciter. Vous serez sûrement heureux d'apprendre que l'agent Seward, que vous avez sauvé d'une mort certaine avant-hier soir, se porte bien. Il vous en est très reconnaissant. Il serait heureux de pouvoir vous remercier de vive voix.

Castelli marque une pause pour permettre à Neumann de réagir, mais celui-ci reste silencieux.

— Vous allez bien ? Je crois que vous avez été blessé l'autre soir.

— Et la fille ? demande Neumann qui fait fi de la question.

— Elle va très bien. Merci de vous en inquiéter. C'est grâce à vous si elle est encore en vie. Laura

Smith se ferait assurément un immense plaisir de vous remercier de vive voix, elle aussi. Elle est encore sous le choc et votre présence lui serait sûrement d'un grand réconfort. Si vous me dites où vous vous trouvez, je pourrais passer vous prendre et nous irions tous deux lui rendre visite à l'hôpital.

Un long silence sépare les deux hommes. Castelli se dit que son interlocuteur est sur le point de raccrocher. Il s'assoit sur le coin du bureau en se passant la main dans les cheveux, soupire et se lance.

— Je n'ai pas de mandat de la Cour vous concernant. Madame Darc nous a laissés entrer de son plein gré. Mon patron n'aime pas être dérangé le dimanche, il n'est donc pas encore au courant de ce que je fais ici. Je ne cherche pas à vous piéger ni à vous localiser, et je ne vous ai pas mis sur écoute non plus. D'ailleurs, je n'en aurais pas eu le temps. Je viens à peine d'arriver. Dites-le-lui, demande-t-il en tendant subitement le combiné à Madame Darc.

Cette dernière sursaute et, la raison faisant place à l'émotion, le saisit fébrilement.

— Ne raccrochez pas. J'ignore s'il est sincère, mais il dit vrai. Il vient tout juste d'arriver, confirme-t-elle avant de redonner l'appareil à Castelli.

— Merci. Merci beaucoup, lui dit-il en le reprenant.

Puis il se retourne, les yeux au sol. À l'autre bout, Neumann décolle lentement le portable de son oreille. N'entendant plus sa respiration, Castelli sent qu'il va le perdre et enchaîne sans plus tarder.

— J'aurais pu facilement devenir directeur au FBI, mais j'ai toujours refusé. Mes origines indiennes m'interdisent de faire confiance à la cavalerie, confesse-t-il spontanément, en désespoir de cause.

Neumann suspend son geste et reporte l'appareil à son oreille. Castelli l'entend respirer de nouveau à l'autre bout du fil. Soulagé, il laisse passer quelques secondes en serrant nerveusement le combiné. Neumann jette un coup d'œil aux alentours et plonge sa main dans la poche de son blouson.

— Je vous écoute.

Castelli n'en croit pas ses oreilles. Il attrape maladroitement une chemise sur le bureau, sort fébrilement une pile de feuilles agrafées et attaque sans plus tarder.

— N'hésitez pas à m'interrompre si je fais fausse route. Edward Wallace McBerry, né le 6 septembre 1958 à Boston dans le Massachusetts, fils unique de Lilie Poirier et de Martin McBerry.

Neumann retient son souffle.

— Décédés tous les deux dans une collision le dimanche 4 octobre 1964 à Bifield au Massachusetts, alors qu'ils revenaient de l'église. Leur véhicule quitta la chaussée et alla s'écraser contre un arbre. Seul Edward, leur fils unique, survécut à l'impact.

Castelli marque un temps d'arrêt avant de reprendre.

— Il fut conduit à l'orphelinat de Boston par le shérif le soir même du tragique accident, et puis… plus rien. Edward McBerry disparut comme par enchantement. Le lendemain matin, ce même orphelinat confia la garde d'une fillette de six ans, prénommée Iris Minth, à Madame Anna Barton et à son époux Charles Douglas, pasteur de l'église de Bifield. Le lendemain soir, le corps horriblement mutilé de la fillette fut retrouvé, à l'orée du bois, par la police d'État... et, apparemment, le ou les meurtriers courent toujours. Qu'en pensez-vous ? questionne Castelli, comme s'il connaissait déjà la réponse.

Totalement pétrifié, Neumann n'émet pas le moindre son. Castelli poursuit son récit.

— C'est malheureusement tout ce qu'une charmante octogénaire, que j'ai rencontrée ce matin au cimetière de Bifield, a bien voulu me confier sur cette période. Ironiquement, elle croyait que j'étais là à propos de la mort de cette fillette et la disparition du petit garçon prénommé Edward. Soyez sans crainte, je ne lui ai rien dit sur les réelles raisons de ma visite. J'ai, bien sûr, insisté pour qu'elle m'en dise plus, mais, à l'évidence, elle ne savait rien de ce qui aurait pu m'intéresser. Je n'ai donc pas vu l'intérêt de tracasser inutilement cette gentille vieille dame, la vie lui ayant suffisamment fourni d'épreuves comme cela. Cette femme vous adore, c'est le moins qu'on puisse dire.

De la fenêtre légèrement ouverte du bureau de Neumann, on entend bruire les feuilles sous le souffle léger du vent d'automne.

— Je vais devoir vous quitter, répond Neumann avec une voix chevrotante, manifestement ébranlé par cette biographie.

Sans perdre de temps, Castelli reprend son récit en haussant le ton.

— Auguste Neumann, né de père et de mère inconnus le 6 septembre 1958 à Boston dans le Massachusetts.

Recueilli en état d'itinérance sur le perron de la porte de l'orphelinat par Sœur de la Charité le 7 octobre 1964, il fut confié en adoption le jour même de son arrivée à Marie Perkins, cousine de Mélanie Perkins alias Sœur de la Charité, qui s'était portée garante de l'adoptante. Cette célibataire, vendeuse dans un supermarché, est décédée d'un cancer en 1992. Le petit Auguste fut élevé par une mère adoptive aimante qui n'a jamais lésiné sur les moyens lui permettant de développer son intelligence.

Treize ans plus tard, on vous retrouve à l'université de Harvard en compagnie de votre grand ami Richard Ames. Bien qu'à peine âgé de dix-neuf ans, ce dernier y était déjà inscrit en maîtrise à la Faculté de psychologie alors que vous, qui aviez pourtant le même âge, ne saviez même pas si, vous poursuivriez vos études jusqu'à l'université. Un jour, comme à votre habitude, vous dévoriez un livre de philosophie à la bibliothèque. Pris d'un violent accès de colère, vous avez balayé tous les livres qui se trouvaient sur votre table en protestant haut et fort que ces essais manquaient de quintessence. Ames, assis en face de vous, s'est alors levé et a quitté la salle pour revenir quelques minutes plus tard avec *L'origine des espèces* de Charles Darwin. Vous avez alors subi un véritable choc. Vous n'en reveniez tout simplement pas que la seule observation des diverses formes de becs des pinsons des îles Galapagos ait pu inspirer une œuvre aussi magistrale.

Deux semaines plus tard, vous quittiez Boston pour ces îles, avec pour seul compagnon votre sac à dos. Assis sur une immense pierre rouge à l'île aux Tortues, vous avez eu une révélation : *si un bec se modèle en fonction de l'environnement, la psyché doit faire de même.* C'est à cette époque également que vous entendez parler de ces jeunes éléphants qui malmenaient des rhinocéros dans le parc national de la Tanzanie. Sans hésiter, vous vous envolez aussitôt pour l'Afrique où vous constatez *de visu* que la simple introduction d'un éléphant mâle adulte calma instantanément les comportements délinquants des éléphants pubères. Quelque temps plus tard, vous vous inscrivez à l'université du Mozambique comme auditeur libre. Là, vous étudiez le cas d'un bébé singe qui, bien qu'en pleine santé, se laissa mourir de faim à côté du cadavre de sa mère décédée subitement. Vous avez alors la preuve irréfutable que, dans la nature, le petit préfère la mort à une vie sans sa mère. À la suite de cette bouleversante constatation, vous errez d'université en université.

Melbourne, Côte d'Ivoire, Berlin, McGill, Victoria, Tokyo... dès que vous avez vent qu'un enseignant professe une théorie remarquable, vous filez prendre l'avion pour vous inscrire à son cours. Vous parcourez ainsi le monde pendant près de six ans avec la bénédiction de Marie Perkins, votre mère adoptive, et de Richard Ames, devenu entre-temps professeur à l'université de Boston. Petit à petit, tout se met en ordre dans votre tête.

Riche de ces enseignements, vous atterrissez à l'Isle Royale où vous observez une meute de loups. Vous êtes alors fasciné par leur structure sociale. C'est à partir de vos observations que s'échafaudera toute votre théorie sur le développement de l'Homme, de son intelligence et de son organisation sociale. Cette fois, vous décidez de faire le grand saut et de vous inscrire enfin à l'université.

C'est alors que s'achève votre prodigieuse odyssée. Vous entrez à la Faculté de psychologie de la Sorbonne en septembre 1983. Vous naviguez sans relâche d'une école de pensée à une autre pendant toute une année, le nez toujours plongé dans un livre. Profondément déçu, vous trouvez que les théories psychologiques sont inutilement complexes, qu'elles étudient superficiellement la psyché, qu'elles sont truffées de failles et qu'elles n'offrent aucune réponse à la survie de l'Homme. Vous êtes sur le point de tout plaquer lorsque vous tombez sur l'essai de Freud : *Analyse d'une phobie chez un petit garçon de cinq ans : le cas du petit Hans.*

Dès lors, vous devenez un adepte de la psychanalyse freudienne à son état le plus pur. Vous pourfendez la psychologie moderne, que vous qualifiez de succédané sans gras, sans saveur et, surtout, sans protéines. Pour un libre penseur comme vous, la psychologie a été détournée de sa finalité, car elle s'est accolée à la stabilité sociale qui sert le pouvoir politique au lieu de permettre à l'Homme de se libérer de ses conditionnements socioculturels. Mais votre critique la plus acerbe, vous la réservez à vos propres confrères de l'école de pensée freudienne qui osent croire en Dieu. Vous les fustigez en les désignant comme les principaux responsables de l'arrêt de l'évolution intellectuelle et sociale de l'humanité. Convoqué au bureau du doyen de la Faculté de psychologie, vous décidez alors de canaliser votre énergie subversive dans le Taekwondo où vous avez été diplômé rapidement. À votre trentième anniversaire, vous ébauchez votre théorie sur le désir de Caïn, qui vous rendra incontournable en matière de psychanalyse.

Neumann reste figé au bout de la ligne. Castelli prend une grande inspiration.

— Vous avez vu celui qui a provoqué la mort de vos parents, n'est-ce pas ? lui demande-t-il timidement.

Neumann reste de marbre. Castelli enchaîne.

— En 1988, toujours à Paris, vous fondez votre propre école de pensée, que vous intitulez *La psychanalyse animale*. Un an plus tard, vous quittez la France pour vous installer définitivement dans votre ville, Boston, où vous dénichez un poste de remplaçant à l'université, sur les recommandations du professeur Ames. Ainsi s'achèvent vos pérégrinations.

Vous ouvrez un bureau où vous gagnez beaucoup d'argent, grâce à l'efficacité de vos thérapies. Le bouche à oreille vous confère alors une réputation qui conduira sur votre fauteuil d'analyste les huiles de ce monde, dont un courtier de Wall Street qui vous initiera à la bourse. Votre fortune s'est, certes, bâtie à partir de vos thérapies, mais elle deviendra colossale après vos remarquables bons coups sur le marché boursier dans les années 1990. Il n'y a pas à dire, vous avez atteint la réussite sociale pour le commun des mortels. Votre tableau de chasse est vraiment complet.

Mais, pour vous, il reste une ombre au tableau. Celui qui a provoqué la mort de vos parents court toujours. Est-ce alors que vous vous êtes mis à la recherche de Bill Bill ? C'est lui qui a causé la mort de vos parents, n'est-ce pas ? Que s'est-il passé, ce dimanche 4 octobre 1964 ? Qu'avez-vous vu ?

Castelli marque une pause, espérant provoquer une réaction chez Neumann. Mais ce dernier reste muet. Castelli reprend.

— Le soir du 3 novembre 1993, vous le croisez enfin. Bill Bill est retrouvé mort peu après, dans sa fourgonnette, le cou brisé. D'après moi, il s'agit de votre tout premier meurtre. Cela apaise enfin votre esprit et vous soulage un moment. Mais à l'évidence, malgré toutes vos attentes, sa mort ne vous a pas réjoui outre mesure, n'est-ce pas ? Bien qu'indispensable à vos yeux, elle est arrivée trop tard et n'a rien réglé. Elle ne vous a pas rendu vos parents et vous souffrez toujours autant, sinon plus, car vous vivez encore dans la clandestinité. Elle ne vous a pas permis de redevenir le petit Edward McBerry. En plus, vous avez maintenant la mort de ce cinglé sur la conscience. Vous décrétez alors qu'il n'y a qu'une seule façon efficace de régler le problème d'un enfant qui souffre : le libérer de son tortionnaire. Dès lors, vous vous investissez à fond dans toutes sortes d'organismes. Très vite, vous réalisez que les démarches pour sortir les enfants des griffes de leurs bourreaux n'offrent que très rarement les résultats escomptés. Résigné à faire cavalier seul, vous érigez votre propre orphelinat, que vous baptisez Perkins en l'honneur des deux femmes qui vous ont recueilli et élevé à la mort de vos parents.

Arrêtez-moi si je me trompe, vous avez alors l'idée grandiose, pour ne pas dire complètement folle, de rendre justice vous-même en éliminant systématiquement les parents déviants, fauchant au passage pédophiles, producteurs et consommateurs de pornographie juvénile..., commuant ainsi le besoin de justice du petit Edward en un rêve ultime qui vous hantera sans cesse... Changer ce monde et rendre la vie un peu plus douce aux petits que vous n'hésitez pas à prendre sous votre aile.

Castelli marque une pause.

— Lucien et Éric Poirier furent tous deux officiers de police dans le Maine, ayant cumulé plus de 25 années de bons et loyaux services. Il s'agit de votre grand-père et de votre arrière-grand-père. Rien ni personne ne pourra vous rendre vos parents, mais si vous vous rendez maintenant, je peux vous garantir que personne ne saura jamais votre vrai nom, Edward McBerry. Vous pourrez ainsi garder leur mémoire intacte, promet judicieusement Castelli.

Neumann ne répond toujours pas. Castelli laisse planer le silence. Au bout d'un moment, Neumann, stoïque, réplique enfin.

— Je dois y aller.

— Ne raccrochez pas ! Je crois que vous avez bien assez souffert comme cela.

— Je vous remercie.

— Ne devenez pas un fugitif.

— Je regrette, j'ai un travail à finir. Après, je serai à vous.

— Nous savons ce que vous allez tenter. Ne le...

— Si tu ne trouves pas de réponse à une question, demande à la nature.

— Oh ! C'est un adage crow, remarque l'officier autochtone surpris.

— C'est exact. Les Crows, tout comme les autres tribus indiennes, ne frappaient pas les enfants, car c'est tout simplement contre nature.

— Je sais, mais où voulez-vous en venir ? demande Castelli, dérouté.

— J'espère que vous ne vous êtes pas mis en tête de m'arrêter, Agent Castelli. Car, aussi bien vous prévenir tout de suite, vous courez droit à votre perte. Plusieurs l'ont tenté et ils ont tous échoué. Non pas que je sois invincible, je vous rassure tout de suite. Je ne crois pas au karma et je ne pense pas être muni de pouvoirs magiques. Non, j'ai simplement développé un savoir-faire, au fil des années, qui me donne toujours une longueur d'avance sur mes adversaires.

— La chance tourne. Dites-moi où vous êtes, Professeur ! Professeur Neumann ! Professeur Neumann !

Consterné, Castelli tend le combiné à l'homme assis devant lui, qui se ronge les sangs. Ce dernier se lève d'un bond et le saisit vivement.

— Auguste, c'est moi. C'est Richard, Richard Ames.

Neumann reste figé à l'autre bout du fil.

— Oui ? répond-il avec une voix adoucie.

— Tu sais, quand cet officier est venu me chercher, je n'en croyais pas mes oreilles. On se connaît depuis si longtemps. C'est moi qui les ait aidés à rédiger cette rétrospective de ta vie. Je me sens tellement coupable et…

Ames essuie ses larmes et respire un bon coup avant de poursuivre.

— Les enfants s'identifient tous à un héros, Auguste. Il leur donne une fierté de vivre et les aide dans le développement de leur estime d'eux-mêmes.

Il leur transmet également de bonnes valeurs sociales d'entraide.

Ames éclate en sanglots.

— Je suis une sommité en matière de traumatismes enfantins, Auguste. Laisse-moi t'aider à soigner le petit Edward encore en toi, qui crie à l'aide. Je vais...

Neumann remarque deux fourgonnettes noires qui arrivent en trombe et se rangent brusquement le long de la route.

— ... Ne te torture pas comme ça, Richard, tu n'y es pour rien. Je dois y aller maintenant, reprend-il en apercevant un groupe d'hommes surgir de l'une des deux fourgonnettes.

Ames tend alors le combiné à Castelli.

— Il veut me parler ? se réjouit Castelli.

— Non, il a raccroché.

*

* *

Aux aguets, Neumann ferme vivement son portable et regarde autour de lui. Un homme est assis paisiblement sur un banc, non loin de là.

*

* *

Le portable de Castelli résonne dans la pièce.

— Bruno Castelli.

— Félicitations ! Grâce à votre baratin, nous avons amplement eu le temps de le localiser. Il est dans les environs de la Maison-Blanche. Nos hommes sont sur les lieux. Ils l'ont peut-être déjà cueilli. Ils devraient me rappeler d'une minute à l'autre, exulte Jamison assis à son bureau, un téléphone dans chaque main.

— Comment?... Mais qu'est-ce que vous dites? Il n'a pas été mis sur écoute! vocifère Castelli.

— J'ai demandé qu'on localise son portable, mais il était éteint. Le directeur de sa compagnie de téléphone m'a rappelé il y a quelques minutes à peine pour m'informer que Neumann venait tout juste de s'acheter un nouvel appareil. Il m'a fourni son nouveau numéro, mais encore là, il était toujours éteint jusqu'à ce qu'il vous appelle. Depuis, nous le suivons pas à pas grâce au signal de son portable.

— Je lui ai donné ma parole qu'il n'était pas sur écoute! s'insurge Castelli.

— Oui, je sais. On verra ça plus tard. Remontez à bord de l'hélicoptère et rejoignez-moi dès que possible au Bureau, je vais avoir besoin de vous pour l'interroger, commande Jamison, l'air triomphant.

Castelli ferme son portable sans au revoir ni merci. Puis il se tourne vers Ames.

— Suivez-moi. L'hélicoptère va me déposer à Quantico et vous ramener chez vous.

*

*   *

Une équipe de huit hommes en civil se déploient sur un périmètre de 500 mètres et convergent vers le parc.

— Il est assis au pied de l'arbre, à côté d'un banc, le portable à l'oreille, chuchote un des agents dans le micro camouflé dans sa manche, à l'intention de ses confrères qui accélèrent le pas.

Les agents se rapprochent de plus en plus de leur cible. Soudain trois d'entre eux se précipitent.

— Mains en l'air ! Plus un geste ! hurlent-ils en pointant leur arme.

— Nous le tenons, Monsieur, nous le tenons ! annonce un autre agent qui se tient un peu à l'écart, son portable à la main.

— Bravo ! s'exclame Jamison.

16

13 h 45, Baltimobile, en banlieue de Baltimore...

Lowen entre dans le bureau de la compagnie de location de véhicules.

— Bonjour, Mademoiselle, j'ai une réservation au nom de Lowen.

— Attendez un instant, répond gentiment l'hôtesse en tapant le nom sur le clavier de son ordinateur. Oui, c'est bien ça.

— Est-ce possible d'avoir une voiture rouge? J'adore le rouge.

— Attendez, je vais vérifier.

— C'est que je suis un peu pressé, précise Lowen.

— J'en ai à peine pour une minute.

La jeune fille court à l'arrière-boutique et revient quelques secondes plus tard.

— Excusez-moi… oui, il n'y a aucun problème. Est-ce qu'une berline quatre portes vous conviendrait?

— Parfaitement, répond Lowen tout sourire en sortant son permis de conduire.

Le temps d'une signature au bas d'un formulaire et Lowen roule déjà sur la route à bord d'une Malibu rouge feu flambant neuve. Arrivé au parc West Friendship, il se gare pare-chocs contre pare-chocs derrière une vieille Thunderbird grise deux portes, en parfait état, stationnée sous un arbre, à l'abri des regards. Il descend du véhicule et verrouille les portières. Il sort un trousseau de clefs de sa poche et file vers la voiture dont il ouvre le coffre pour y jeter pêle-mêle sa casquette rouge et son blouson d'aviateur. Puis il enfile prestement une veste dans les tons de gris et une casquette noire qu'il enfonce sur sa tête. Il referme le coffre d'un geste brusque, longe la voiture, déverrouille la portière, se glisse derrière le volant et quitte lentement les lieux, abandonnant la rutilante Malibu derrière lui.

17

14 h, appartement de Jarvis, Woodbridge…

Couchée entièrement nue dans son lit douillet, les jambes écartées, les cheveux en broussailles et le nez enfoui dans son oreiller, Jarvis dort à poings fermés. Elle remonte machinalement ses pieds glacés qui pendaient hors du lit, se recroqueville et étend son bras sur le drap blanc, à la recherche d'une couverture. Son bras a beau courir sur le matelas, il ne la trouve pas. Fourbue et agacée par sa vaine recherche, la dormeuse plane dans un demi-sommeil. Refusant de sortir de son état de grâce, elle déplace son pied glacé et heurte un objet dur. Elle le palpe du bout des orteils et reconnaît un mollet bien drapé. Elle retire précipitamment son pied et ouvre un œil, alertée par l'objet insolite. Elle entrevoit alors l'heure sur le cadran lumineux qui scintille à deux pas de son nez. Elle roule sur le dos en repoussant ses cheveux qui retombent aussitôt en cascade sur son visage. Ce faisant, elle décèle une goutte de sang séché sur sa main gauche. Elle sursaute, se retourne et aperçoit le corps de Seward enroulé dans les couvertures. Prise de panique, elle replie vivement ses jambes, appuie ses deux mains sur le corps de Seward, se redresse sur les genoux et le secoue en criant.

— Simon ! Simon !

Mais ce dernier ne répond pas. Inquiète, Jarvis insiste encore quand il se met à ronfler. Soulagée, elle se souvient qu'une de ses blessures s'est ouverte pendant leurs ébats amoureux, la veille. Elle se retourne et regarde de nouveau le cadran. Il indique quatorze heures trois.

— Mais qu'est-ce que je fous… merde !

Seward se met à toussoter et ouvre les yeux. Toujours à genoux sur le lit, Jarvis assoie ses fesses sur ses pieds et prend soudain toute la mesure de la situation.

— Ah non ! Qu'est-ce que j'ai fait !

Seward se retourne sur le dos, enroulé comme un saucisson dans les couvertures de laine. Il contemple sa bien-aimée, l'air totalement béat, ce qui n'est pas pour détendre Jarvis qui se remémore sa nuit endiablée avec son partenaire de travail.

— Ah non ! C'est pas vrai, qu'est-ce qui m'a pris… qu'est-ce que j'ai fait se lamente-t-elle en se prenant la tête à deux mains.

— On a visité le paradis, le nirvana, non, le septième ciel… oui, c'est ça ! répond naïvement Seward sans y être invité.

Furieuse, Jarvis se tourne vers lui, appuie ses mains bien à plat de chaque côté de son corps et le fixe droit dans les yeux.

— Lève-toi et débarrasse le plancher tout de suite !

— Quoi ! Tu me fais marcher, rétorque Seward en contemplant le plafond.

Jarvis le fusille du regard.

— Sors d'ici tout de suite !

Seward, se retourne et fixe ses seins d'un petit air coquin. Jarvis n'en revient pas. Elle ferme les yeux et se pince les lèvres.

— Dehors ! hurle-t-elle en couvrant sa poitrine avec son oreiller.

Le sourire de Seward s'efface. Il se débat pour s'extirper de la couverture qui le tient prisonnier.

— Ça va. D'accord, je bouge. Mais qu'est-ce qui ne va pas ? Explique-moi.

Jarvis reprend la parole comme si de rien n'était.

— Je dois être au centre-ville de Baltimore à quinze heures précises. Alors, sors d'ici que je me prépare.

— Quoi ? Mais je n'ai qu'à t'attendre, lui propose-t-il amoureusement en se démenant comme un beau diable pour sortir de son cocon.

— Laisse tomber, je n'ai plus de temps à perdre, relance Jarvis.

Elle aperçoit alors du coin de l'œil le drap qui traîne au pied du lit. Rapide comme l'éclair, elle l'attrape et l'enroule autour de son corps, se lève et se dirige vers la porte de la chambre. Elle s'arrête soudain à mi-chemin et se retourne vers Seward.

— Je ne veux pas te trouver ici à mon retour… et pour hier soir, tu oublies tout ça, et vite ! C'est clair ? ordonne-t-elle sans la moindre ambiguïté.

— Quoi !

Dans un effort suprême pour sortir du lit, Seward fait un faux mouvement et atterrit comme une masse sur le sol. Jarvis, qui n'en revient pas de sa maladresse, soupire en se frappant le front avec la paume de sa main et file vers la salle de bains. Elle ferme la porte, laisse tomber le drap sur le carrelage, saute sous la douche et se savonne en toute hâte.

*
* *

Au même moment, à la résidence de Rockwell à Fredericksburg…

Assis devant son ordinateur, Rockwell regarde fixement son cahier tout écorné. Il comprend qu'il est grand temps de prendre une pause. Il se frotte les yeux, déplie ses vertèbres et fait basculer sa chaise vers l'arrière en s'étirant voluptueusement. Ce faisant, il voit les deux fillettes par l'ouverture de la porte entrebâillée de son bureau. Elles sont sagement assises par terre, devant le poste de télévision. Le son est si fort qu'il l'entend comme s'il était assis à leur côté. Il fait rouler sa chaise jusqu'à la porte et la referme doucement pour ne pas déranger les jeunes téléspectatrices concentrées sur leur émission préférée avec pour héroïnes des petites princesses enchantées. Il repousse sa chaise vers la table d'ordinateur, s'installe au clavier et tape sur quelques touches. Un site Internet consacré à des femmes mûres à gros seins apparaît sur son écran. Il défait sa ceinture et entreprend une langoureuse descente de sa braguette, quand les éclats de rire des fillettes le font sursauter, comme s'il venait de se faire prendre sur le fait. Mal à l'aise, il remonte sa braguette et sort de son bureau en prenant bien soin de refermer la porte derrière lui.

— Karen ! Tenez les filles, lance-t-il en brandissant un billet de 10 dollars sous le nez des fillettes.

— Chut, papa ! on regarde la télé ! répond la jeune Karen couchée sur le ventre, les yeux rivés sur l'écran.

— Est-ce que tu voudrais aller à la petite épicerie chercher du chewing-gum à la cerise pour papa ? Tu serais bien gentille.

— Mais je regarde mon émission…

— Elle est finie ! s'exclame sa copine.

— Vous pourriez vous acheter des friandises en même temps.

— Oui ! répondent en chœur les fillettes avec un large sourire.

Rockwell tend l'argent à sa fille, qui l'attrape au vol avant de se précipiter dehors, suivie de sa copine.

Amusé de leur enthousiasme, Rockwell sourit et retourne aussitôt à son écran. Les fillettes partent en courant sur le trottoir. Elles ont à peine franchi le premier tournant que Lowen, coiffé d'une casquette noire, les prend en chasse à bord de la voiture grise.

*
* *

Jarvis ferme le robinet de la douche. Elle attrape une serviette et se sèche vigoureusement, se l'enroule autour du corps et la noue entre ses deux seins. Elle enjambe la baignoire, s'essuie les pieds sur le tapis de bain, attrape un peigne et le passe dans ses cheveux mouillés en les lissant vers l'arrière. Puis elle se dirige vers la chambre en espérant ne plus y trouver Seward.

— Nicole..., l'interpelle le jeune homme assis bien sagement au pied du lit, tout habillé.

— Ah non ! Mais qu'est-ce que tu fous encore ici, Simon ?

— Attends, je ne partirai pas comme ça, tu vas devoir t'expliquer, répond Seward en sautant sur ses pieds. Tu ne peux pas balayer cette nuit du revers de la main, comme si rien ne s'était passé entre nous. Tu vas devoir t'expliquer.

— Oh, mais je n'ai pas le temps pour toutes ces bêtises de gars en mal d'amour, rétorque Jarvis en ouvrant rageusement le premier tiroir de sa commode.

Elle attrape machinalement un string en dentelle blanche. Seward la regarde sans mot dire. Furieuse, Jarvis prend une grande inspiration et se retourne vers lui.

— Quoi ! On a eu une bonne baise...

— C'était plus que cela.

— Bon, d'accord. On a eu le grand jeu avec les feux d'artifice, les étoiles et tout..., ironise Jarvis en levant les bras. Tu pourras raconter à tout le monde que tu t'es envoyé la blonde de ton équipe. Se faire une coéquipière a toujours bonne presse auprès des collègues. Je ne crois pas que ce soit très différent au

FBI. Alors, félicitations, ramasse ton flingue, enfourche ta monture et cours rejoindre tes petits amis. Tu es un vrai cow-boy maintenant.

— Ce n'est pas ce que j'ai voulu dire, se défend gentiment Seward qui la sent plus fragile et apeurée qu'elle ne veut le laisser paraître.

Désarmée, Jarvis cesse son cinéma et le regarde fixement.

— Plus de peur que de mal…, la surprend Seward en changeant subitement de sujet.

Jarvis le regarde, immobile, comme suspendue dans le temps.

— … Avant-hier soir, dans le parc, juste avant que Donnel ne surgisse, j'ai tiré une balle en direction de Neumann et je l'ai atteint à la tête. Quand Donnel est apparu, armé jusqu'aux dents, j'ai réalisé avec horreur que je ne me battais pas dans le bon camp et un truc s'est cassé dans ma tête. Puis il m'a atteint de plusieurs balles et je suis resté bêtement paralysé. Mais ma paralysie n'était pas d'ordre physique, car mes blessures sont loin d'être aussi graves qu'elles en ont l'air. C'est plutôt d'avoir failli tuer un innocent qui m'a tenu cloué au sol, incapable de me défendre. Si Neumann n'était pas intervenu, je n'aurais rien pu faire. J'ai remis ma vie entre ses mains alors que, cinq minutes auparavant, je l'aurais descendu de sang-froid. Et là, non seulement il m'a sauvé la vie, mais, en plus, il a fait de moi un héros à la face du monde. Je vais devoir vivre avec ça le reste de mes jours.

— Putain de merde, Simon ! Pourquoi est-ce que tu m'envoies un truc pareil dans la gueule maintenant ?

Je n'avais vraiment pas besoin de ça ! lance Jarvis, à la fois irritée et touchée par la surprenante confession de Seward.

Submergée par une émotion soudaine, sa respiration s'accélère.

— Laisse-moi te dire un truc, Simon. S'il y a vraiment une chose dont tu ne manques pas, c'est de courage. Cette médaille, tu la mérites vraiment, tout comme la prime, les congés et les félicitations qui viennent avec. Tu ne dois tout ça qu'à toi-même. Bon, allez, si tu veux bien me laisser maintenant, il faut que je m'habille, déballe Jarvis qui a retrouvé une respiration normale.

Quelque peu réconforté par cette réaction inattendue, Seward hoche la tête, puis fait volte-face.

— Non, attends, Nicole, tu ne t'en tireras pas comme ça.

— Merde, c'est pas vrai !

Jarvis darde son regard dans celui de Seward qui le soutient sans sourciller. Furieuse, elle lui tourne le dos, lance sauvagement sa culotte dans le tiroir de la commode, se retourne et laisse éclater sa colère.

— D'accord ! C'est à mon tour maintenant. Tu veux tout savoir ? Tu veux que je te raconte ? Alors, écoute-moi bien, car je ne te le répéterai pas deux fois. Et assieds-toi !

Seward s'exécute aussitôt. Debout les bras croisés, Jarvis lève la tête et commence à se livrer.

— Quand j'avais huit ans, j'étais follement amoureuse de mon père. Il était camionneur et j'adorais quand il m'emmenait. Il possédait un énorme semi-remorque noir, couvert de flammes rouges. On parcourait des kilomètres à travers tout le pays. Parfois même, il me laissait changer les vitesses. Je mettais la main sur le levier, il mettait la sienne sur la mienne et... j'étais tellement fière. Il était beau, il était costaud, il n'avait peur de personne et il n'hésitait pas à envoyer promener tout le monde lorsque ça ne faisait pas son affaire. C'était mon héros. Dès que le soleil commençait à disparaître, j'anticipais déjà le plaisir de dormir blottie contre lui dans le petit lit, à l'arrière de la cabine. Ce que j'adorais par-dessus tout, c'était le moment où il m'enlaçait et me donnait un baiser sur le front. J'aimais tellement ça que je commençai à jalouser ma mère. Un jour, sur le chemin du retour, alors qu'on était partis depuis plus d'une semaine, mon père décida de s'arrêter dans une station pour faire un brin de toilette. Il se gara et fouilla dans ses poches d'où il sortit de la monnaie, des factures, un canif et son portefeuille. Pressé, il déposa le tout pêle-mêle sur la banquette, juste à côté de moi. Avant de sortir, il enleva rapidement sa montre, sa chaîne et, après une brève hésitation, son alliance. Il ne l'enlevait jamais, mais comme il venait de décharger des pneus usés et qu'on était en route pour la maison, il tenait à nettoyer ses mains à fond, car maman, comme toutes les femmes de camionneur, n'aimait pas voir mon père rentrer à la maison avec les mains noires. Il déposa l'alliance sur les autres objets et sortit en m'enfermant à double tour dans la cabine pour s'assurer qu'il ne m'arrive rien. À peine s'était-il éloigné que je mis l'anneau à mon doigt. C'était magique. J'étais tellement fière que je ne vis pas le temps passer, jusqu'à ce que j'aperçoive mon père qui revenait vers le camion, proprement vêtu après avoir pris une douche. Paniquée et me sentant vaguement coupable, je retirai l'anneau à toute vitesse et il me glissa des mains. Je fouillai fébrilement dans tous les recoins, mais en vain. Mon père frappa alors sur la vitre du camion et je poussai un cri d'horreur. *C'est moi* ! s'annonça-t-il, amusé. Je lui ouvris la portière, il s'assit et ramassa ses affaires. Il était tellement pressé de rentrer qu'il en oublia l'alliance. Une fois à la maison, tout se déroula sans la moindre anicroche. Ma mère nous attendait sur le pas de la porte. J'accourus vers elle, elle me serra dans ses bras et m'embrassa longuement, puis me déposa pour se jeter dans les bras de mon père. Quelques instants plus tard, mes parents s'isolèrent dans la chambre à coucher. C'est là que les choses se gâtèrent. Au bout d'un moment, mon père surgit de la chambre, pieds nus et vêtu de son seul pantalon, et se mit à chercher sa bague partout. Ma mère ne cessait de hurler. Il vint alors me voir dans la chambre et me demanda, furieux : *as-tu vu la bague* ? J'étais tellement terrorisée que je ne pus que secouer la tête. Mon père fila vers le camion, mais il ne retrouva jamais l'alliance.

— Ce n'était quand même pas ta faute. Ce n'est pas comme si tu avais volé la bague de ton père, l'interrompt spontanément Seward, offusqué par le comportement du père qui semblait l'avoir terrorisée pour rien.

Jarvis fait subitement volte-face et ouvre son coffret à bijoux d'un geste brusque. Elle retourne vers Seward, lui ouvre la main et dépose l'anneau dans le creux de sa paume. Estomaqué, ce dernier regarde l'anneau briller.

— Je peux continuer ?

Muet de stupeur, Seward hoche la tête.

— Quand il est revenu bredouille, lui et ma mère s'engueulèrent de plus belle à propos de l'hypothèque qui n'avait pas été payée depuis trois mois. Un huissier était passé voir ma mère trois jours auparavant, et elle détestait ces situations. Mon père lui répondit qu'il fallait payer le camion et plein d'autres choses. Elle lui lanca alors qu'elle avait dû emprunter de l'argent à sa mère. Mon père lui balança : *Tu n'as qu'à aller vivre avec elle si elle s'occupe si bien de toi* ! Mes parents se mirent à se traiter de tous les noms. Pendant un instant, je crus qu'ils allaient en venir aux coups. Puis ma mère lui servit la réplique fatidique : *Va te faire foutre, pauvre con ! Si je pars, Nicole part avec moi et tu ne la verras plus jamais.* Je sais aujourd'hui que ce n'était qu'une façon de parler, mais elle n'aurait pas dû dire ça. Du coup, je me mis à la détester. Mon père était fatigué et lui cria d'aller se faire foutre elle-même. Cette fois, c'en était trop. Elle prit le mors aux dents et pointa la porte en lui hurlant que la maison était à elle et à sa mère, puisqu'il n'avait pour ainsi dire jamais versé un sou pour la payer. Alors, si quelqu'un devait partir, c'était lui. Orgueilleux comme quatre, il enfila aussitôt une chemise, attrapa ses clefs et décampa. Il avait à peine claqué la porte que ma mère se mit à sangloter. Quant à moi, je me précipitai derrière lui en criant : *Papa, papa, je t'aime ! Je t'aime papa. Attends-moi !* Ma mère m'attrapa au vol par le bras et, comme je me débattais, elle mit son autre main sur ma hanche. C'est alors qu'elle sentit quelque chose de dur dans ma poche. Elle y glissa la main et en sortit l'alliance de mon père. Je ne sais toujours pas aujourd'hui comment la bague s'était retrouvée là, mais ma mère en eut le souffle coupé. *Tu as volé l'alliance de ton père*, m'accusa-t-elle en redoublant ses pleurs. Je lui en voulais tant d'avoir dit qu'elle s'arrangerait pour que mon père et moi soyons séparés à jamais que je lui répondis sans hésiter : *Oui, je l'ai volée, je vais me marier avec lui. Tu n'es pas assez bonne pour lui, tu es laide et tu es vieille.* Je m'en souviens comme si c'était hier. Je filai dans ma chambre où je pleurai pendant des heures. Je me promis alors de quitter la maison pour ne plus jamais y revenir. Mais je n'avais nulle part où aller et je n'avais que huit ans. Je décidai alors ne plus adresser la parole à ma mère. Quelque temps plus tard, on se retrouva devant un arbitre en matière de cause conjugale. C'était la première fois que je revoyais mon père depuis la grande dispute. J'étais tellement heureuse que je sautai dans ses bras. J'en voulais plus que jamais à ma mère de me l'avoir arraché. Bien sûr, mon père en profita pour tomber sur ma mère. Il ne voulait plus négocier d'entente et demanda ma garde exclusive. À la fin de l'audience, ma mère était effondrée. Mon père obtint facilement que je reste avec lui ce soir-là, puisqu'il ne m'avait pas vue depuis leur séparation. J'étais folle de joie.

Jarvis fait une pause avant de poursuivre, la gorge nouée.

— Le lendemain matin, le téléphone a sonné dans la chambre d'hôtel. Mon père a décroché. C'était le bureau du procureur. Il lui annonça qu'il n'était plus nécessaire de se rendre au palais de justice, car ma mère était morte durant la nuit. Fatiguée, elle s'était endormie au volant et avait percuté un arbre, termine Jarvis d'une voix à peine audible.

— C'est horrible, je suis vraiment désolé, Nicole.

Troublée, Jarvis blêmit puis craque.

— Merde, Simon ! Cesse de me regarder comme ça ! Tu es si compatissant qu'on te donnerait le Bon Dieu sans confession ! crie-t-elle en donnant un formidable coup de talon contre la commode derrière elle.

La secousse est si forte que les objets sur le meuble en tremblent. Sous l'impact, un tube de rouge à lèvres se met à rouler lentement vers le bord de la commode. Seward se lève d'un bond. Furieuse, Jarvis se retourne brusquement, attrape le rouge à lèvres avant qu'il ne s'écrase sur le sol, pivote de nouveau et dévisage Seward.

— Rassieds-toi ! ordonne-t-elle en pointant vers lui le tube de rouge à lèvres.

Seward obéit sans discuter. Jarvis lance le tube sur l'oreiller en ravalant ses larmes.

— Ma mère est morte !

— Je suis désolé, Nicole.

— Tu es content maintenant ?

— Quoi ?

— J'ai fait mourir ma mère !

— Quoi ! Mais qu'est-ce que tu racontes, Nicole, tu n'étais qu'une enfant !

— Va te faire foutre !

— L'anneau de mariage… tu étais amoureuse de ton père… mais tu n'étais qu'une enfant, Nicole. Tu n'es pas responsable de la mort de ta mère…

Seward s'arrête un moment, pensif.

— Depuis combien de temps tes parents étaient-ils mariés ?

Bouleversée, Jarvis le regarde sans le voir. Elle poursuit machinalement son récit à voix basse.

— Après la mort de ma mère, je suis allée vivre avec mon père. Mais papa se sentait seul et malheureux. Il n'arrivait plus à trouver l'amour. Il a donc ramassé une femme qui faisait du stop, puis une autre et encore une autre. Ça a duré comme ça durant des années, jusqu'au jour où mon père s'est ramené à la maison avec une fille plus jeune que moi.

Surpris, Seward ouvre tout grand les yeux.

— Rassure-toi, elle n'était pas mineure. J'avais vingt ans alors qu'elle en avait à peine dix-neuf. Je ne sais pas si tu sais ce que ça fait de voir son père embrasser une fille plus jeune que soi... J'ai quitté la maison le soir même. Pour survivre, j'ai dû faire tous les petits métiers qui existent dans ce pays. Puis, je me suis réfugiée chez ma grand-mère maternelle et j'ai repris mes études.

Seward est désarçonné.

— Tu as raconté tout ça à un psy ? lui demande-t-il pour se remettre en selle.

— Non, je n'en ai parlé à personne, pas même à ma grand-mère. Et c'est la dernière fois que tu en entendras parler.

La jeune femme se retourne et recommence à fourrager dans le tiroir. Toujours assis sur le lit, Seward regarde au loin, la tête en ébullition.

— Tu sais tout maintenant, alors tu peux t'en aller, lui lance Jarvis d'un air faussement détaché, le nez dans sa commode.

Seward tourne la tête et fixe sa nuque en silence. Puis il contemple l'alliance toujours nichée dans le creux de sa main et reprend son aplomb.

— Attends, Nicole, il y a quelque chose qui cloche. Depuis combien de temps tes parents étaient-ils mariés ?

Jarvis se retourne subitement.

— Qu'est-ce que tu veux dire ? demande-t-elle froidement en croisant les bras.

Surpris par sa réaction, Seward se cabre à son tour.

— Enfin quoi, Nicole ! On ne divorce pas parce qu'on a perdu une alliance, c'est ridicule. On ne passe pas cinq ou dix ans de parfait bonheur pour se séparer sur une simple histoire d'anneau perdu. Ça n'a aucun sens…

— Neuf ans. Et oui, que ça te plaise ou non, l'interrompt sèchement Jarvis en saisissant l'anneau des mains de Seward.

— Comment ? Tu m'as dit… tu as dit que, lors de la négociation devant le juge, ton père en profita pour tomber sur ta mère et demander ta garde exclusive, enchaîne Seward en appuyant sur le mot profita.

— Je n'ai pas dit ça…

— Oui, tu me l'as dit, comme si tu voulais me faire savoir que ton père n'avait pas été correct.

— Je n'ai jamais dit ça… et peu importe. Où veux-tu en venir au juste ? demande Jarvis, de plus en plus tendue.

Seward se lève d'un bond, comme s'il venait d'avoir une révélation.

— Mais voyons, Nicole, ça saute aux yeux. En fait, leur couple n'allait pas aussi bien que tu veux te le faire croire. Toutes ces jeunes femmes que ton père a ramenées à la maison après la mort de ta mère, elles faisaient du stop... ton père était camionneur... l'anneau enlevé. Ta mère croyait que ton père l'avait trompée et c'est pour cela qu'elle a pris le mors aux dents quand elle a vu qu'il avait enlevé son alliance.

— Mais qu'est-ce que tu racontes, Simon !

— Ton père ne payait pas le loyer et il a traité ta mère de tous les noms. Ce n'est pas le comportement d'un homme aimant, ça. En fait, ton père ne réclamait pas ta garde parce qu'il te voulait à ses côtés, mais bien pour ne pas payer de pension alimentaire.

— Tais-toi, Simon !

— Non, Nicole, attends. Tu n'as pas idée jusqu'où peut aller un homme pour éviter d'en payer. Insulter sa femme, vivre avec une fillette de huit ans et ramener malgré tout sans arrêt des femmes différentes à la maison, tu trouves ça normal, toi ? C'est le comportement d'un père qui pense à sa petite fille, ça ? Ce n'est pas à cause de toi, Nicole, que ton père n'a jamais retrouvé le grand amour. Allons donc ! Ton père n'aimait pas ces filles, il les baisait. Conclusion : lorsque tes parents étaient encore ensemble, ton père trompait ta mère, et elle le savait fort bien.

Le sang monte subitement à la tête de Jarvis. Folle de rage, elle lève la main et se précipite sur Seward. Ce dernier se campe solidement sur ses pieds quand le portable de Jarvis se met à sonner dans l'entrée. Celle-ci sursaute et stoppe net son élan. Elle se ressaisit et regarde Seward droit dans les yeux.

— Sors d'ici maintenant, lui demande-t-elle en pointant la porte de la chambre.

— Je peux prendre mes affaires?

Jarvis se retourne et file vers le téléphone. Elle pousse le sac en plastique que Seward a déposé la veille, s'empare de son portable et l'ouvre.

— Agent Jarvis, oui… oui… quand?…

Seward secoue la tête en fixant le plancher. Puis il double Jarvis, passe au salon, ramasse lentement son veston et son manteau, et revient dans l'entrée. Jarvis en a profité pour enfiler le peignoir qu'elle avait abandonné dans le couloir la veille. Il penche la tête pour lui donner un baiser dans le cou, mais elle le repousse. Seward soupire et se plante devant elle. Tout en poursuivant sa conversation téléphonique, Jarvis se dirige vers la porte qu'elle ouvre grand, puis se tourne vers Seward. Ce dernier lui fait signe que non de la tête. La jeune policière piaffe, puis lâche la poignée de la porte et se dirige vers lui en poursuivant sa conversation.

— C'était un ami d'enfance? demande-t-elle à son interlocuteur invisible.

Elle se met derrière Seward, place sa main à plat dans son dos et le pousse vers la sortie. Seward obtempère en lui parlant à voix basse.

— Dites-moi qui sont vos parents et je vous dirai qui vous êtes. Vos comportements vous seront dictés par l'éducation que vous aurez reçue. J'ai lu ça dans un livre de psychologie dernièrement.

Furieuse, Jarvis applique sa main sur le combiné.

— C'est ça, va te faire soigner plus loin, Monsieur Un-tueur-sociopathe-m'a-sauvé-les-fesses, rétorque

Jarvis à voix basse, avant de replacer l'appareil sur son oreille.

Seward pivote brusquement. Jarvis ignore sa manœuvre et continue de le repousser en s'appuyant cette fois sur son thorax.

— Quoi, qu'est-ce que tu as dit ? Écoute-moi bien, Nicole, murmure Seward, furieux, en reculant vers la sortie.

— Excusez-moi une minute s'il vous plaît, dit-elle à son interlocuteur. – Elle appuie le téléphone contre sa cuisse. – Qu'est-ce que tu dis ? demande-t-elle gentiment à Seward.

— Tu as été élevée par un père problématique et tu refuses de te l'avouer, car tu en étais amoureuse comme toutes les petites filles, bien qu'il ne le méritait pas. Tous les enfants se mentent à propos de leurs parents, tu savais ça ? Ils cachent leurs défauts, les présentent comme des héros, les protègent et les aiment, même lorsqu'ils sont de véritables bourreaux. Tu sais pourquoi ? Parce qu'ils les nourrissent et les gardent en vie depuis qu'ils sont tout bébé. L'enfant en garde une empreinte indélébile qui le rend reconnaissant envers eux, peu importe les sévices qu'ils lui infligent. L'enfant accepte tout cela, car il ne connaît rien d'autre, n'a nulle part où aller et a besoin de croire qu'il vaut quelque chose pour continuer à vivre, point final. Ton enfance fut une véritable merde, Nicole ! Elle t'a empêchée d'évoluer correctement. Tu n'as pas un mauvais fond. Tu me mens ! En fait, non… tu te mens à toi-même… et si tu refuses d'accepter tout cela, c'est que je me serai trompé sur ton compte !

Jarvis le pousse jusqu'à l'extérieur de l'appartement et lui claque la porte au nez, puis s'enferme à double tour.

L'esprit en ébullition, Seward fixe la porte close.

— Mettre au monde, survivre, mentir.

Puis il change soudainement d'expression et redresse la tête.

— Un ensemble de symptômes qui caractérisent une maladie, poursuit-il en élevant la voix.

De l'autre côté de la porte, Jarvis met la chaîne de sécurité et se dirige vers la cuisine, le téléphone toujours collé à l'oreille.

— Bien, merci. Je me prépare tout de suite, termine-t-elle avant de couper la ligne.

Elle se dirige vers sa chambre lorsqu'elle aperçoit les fleurs qui gisent au sol. Elle les ramasse, retourne à la cuisine, choisit un vase et compose un bouquet avec les roses qui ont survécu à la nuit passée sur le parquet. Trois coups la font sursauter. Exaspérée, elle file vers l'entrée pendant que Seward, dans tous ses états, martèle la porte de plus belle.

— Il est difficile de parler de nos parents parce que ce sont eux qui nous ont mis au monde. Ouvre-moi cette porte, Nicole ! crie-t-il en secouant la poignée.

Enfin, la porte s'entrouvre, uniquement retenue par la chaîne. Le visage de Jarvis apparaît dans l'ouverture.

— Pas si fort, tu vas ameuter le voisinage. On est dimanche, je te signale.

Surpris qu'elle lui parle comme si rien ne s'était passé, Seward l'observe un moment avant de reprendre sa démonstration là où il l'avait laissée.

— À l'origine, cette maladie provient du lien filial. On protège un parent, peu importe son comportement, parce qu'il nous a nourri étant bébé.

— Mais de quoi parles-tu, Simon ?

— Le syndrome de Stockholm. C'est là où il prend sa source. Il peut prendre diverses formes. Plus un individu aura été mal aimé durant son enfance, plus le syndrome aura d'emprise sur lui. Il sera prêt à tout pour sauver le ravisseur qui le tient pourtant captif. Ça te concerne plus que tu ne le crois, Nicole.

Jarvis lui referme brusquement la porte au nez.

— Mais qu'est-ce que tu fous, Nicole ? Ouvre-moi cette porte !

— C'est toi qui m'as toujours dit de garder cette porte fermée à clef, le nargue Jarvis en appuyant son dos contre la porte verrouillée.

— Quoi ? Un syndrome, Nicole, un ensemble de symptômes qui caractérisent une maladie. Quand il se présente sous sa forme la plus pure, si primitive qu'on a peine à y croire, il arrive parfois même que les spécialistes les plus avisés n'en remarquent pas sa redoutable présence au moment de poser le diagnostic. Neumann parlait du syndrome de Stockholm, le…

Jarvis fait glisser rapidement la chaîne et ouvre la porte.

— Bravo ! Bravo, Simon, le félicite-t-elle en tapant des mains.

Seward reste bouche bée. Jarvis enchaîne.

— Les experts du BSU ont réfléchi là-dessus et nous ont transmis la réponse hier, avant même que la réunion ne commence. Un syndrome, bravo, Simon. Là, tu m'épates !

— Mais tu ne sembles pas comprendre ce que cela implique. Le syndrome…

— Le syndrome amnésique alcoolique : trouble important de la mémoire accompagné de fabulations, souvent dû à une alcoolisation chronique. Ajoute à cela une enfance de délinquance et de l'anaphylaxie, une réaction allergique qui le rend violent sous l'effet de l'alcool, et tu obtiens Chris Lowen, le *Tueur à la casquette rouge*. Lowen a pu convaincre le jury de son innocence, car le raisonnement n'est pas altéré par cette maladie. Il sait donc parfaitement ce qu'il fait, même s'il en oublie parfois quelques bribes. Neumann le savait puisqu'il l'avait eu en thérapie quatre ans auparavant.

Seward est stupéfait. Jarvis poursuit.

— L'examen des minutes du procès montre que personne n'a jamais fait mention de ce syndrome. Car Neumann, bien qu'identifié comme ex-thérapeute, n'a tout simplement pas été appelé à témoigner. Nous nous sommes demandé pourquoi il n'avait pas demandé à comparaître. Nous en sommes arrivés à la conclusion que, comme tous ceux qui ont participé à cette enquête, Neumann était persuadé que Lowen allait se faire emprisonner. D'ailleurs, nos procureurs évaluaient à plus de neuf chances sur dix la probabilité de le faire enfermer à tout jamais derrière les barreaux. Personne, absolument personne n'a vu venir le coup. Ce salopard de Lowen a eu une veine de cocu. Tu imagines un peu la tête que Neumann a dû faire quand il a appris que personne n'avait diagnostiqué la présence de ce syndrome chez un être au passé aussi violent. Il ne devait pas en croire ses oreilles. Voilà pourquoi il en a parlé devant les médias dès que le journaliste lui a posé la question. Il n'a tout simplement pas pu se retenir plus longtemps, car cela devait lui brûler les lèvres.

— Pourtant Lowen…

— Pourtant Lowen quoi ? Merde, Simon ! lance Jarvis clairement indisposée par le scepticisme qu'elle décèle dans le visage de son collègue.

Elle passe la main sur son front, totalement chavirée.

— Mais qu'est-ce qui m'arrive… merde ! Tu prends cela tellement à cœur, Simon, ce mec t'a sauvé la vie et… putain de merde ! Eh merde !

La jeune femme attrape Seward par le bras, le tire dans l'appartement et referme la porte derrière lui.

— Écoute-moi bien, Simon, c'est Castelli qui vient de me téléphoner…

— Il t'attend ?

— Non, il ne m'attend pas. Ferme-la et écoute-moi. Je n'ai plus à me rendre à Baltimore. Oublie tout ce que je viens de te raconter sur cette petite merde de Lowen. Auguste Neumann, de son vrai nom Edward McBerry, est bien l'homme que nous recherchons. C'est lui qui a commis tous ces meurtres, cela ne fait aucun doute. Ses parents sont décédés devant ses yeux lors d'un tragique accident de voiture, alors qu'il n'avait que six ans. Par la suite, il aurait eu des démêlés avec le pasteur de Bifield. Je sais très bien que Neumann t'a sauvé la vie et que…

— Celui qui s'est fait crucifier dans son église ?

— Le pasteur de Bifield, oui, exactement. Castelli vient tout juste de m'apprendre qu'on doit à coup sûr sa mort à Neumann, tout comme les meurtres d'Alexandria, Altoona, Sharonneville, Salem, Hagerstown…

— Et la vieille dame de Washington avec qui il a dansé ?

— Non, il ne l'a pas tuée. Elle est morte du cancer et elle lui a légué par testament tous ses biens, de même que la garde de sa petite-fille Irène. Il ne leur a fait aucun mal. Bref, ils ont déjà relié Neumann à la quasi-totalité des meurtres non résolus que Castelli transporte partout sous son bras, y compris celui de Bill Bill…

— Le premier de tous, rappelle Seward.

— Le premier de tous… et la liste n'en finit pas de s'allonger. Ils vont sûrement l'inculper aussi de la mort du shérif Conway.

— Bob ? Mais il est mort d'une crise cardiaque, corrige Seward, incrédule.

— Oui, je sais.

Les deux agents se regardent un moment sans mot dire. Puis Seward s'apprête à parler, mais Jarvis tend la main pour le faire taire. Elle enchaîne d'un air grave.

— Bon, d'accord. Hier après-midi, lorsque j'ai mis les pieds dans le bureau de Jamison, il y avait déjà sur place un tas de gros bonnets. Il y en avait tant qu'ils étaient assis coude à coude autour de la table. Ils étaient tous accompagnés de gardes du corps représentant des organismes, des agences ou des bureaux dont je ne soupçonnais même pas l'existence. On n'était pas là pour orchestrer une simple chasse au tueur en série. Oh ! ça non ! Un tel déploiement me laisse plutôt croire qu'ils perçoivent cet homme comme étant une réelle menace pour la sécurité nationale. Il y a en ce moment une équipe complète d'hommes venus tout droit de Washington qui s'affairent sur son cas. Et crois-moi, Simon, pour les avoir vus à l'œuvre hier, je peux te garantir que ces gars-là ne rigolent pas et que, s'ils le peuvent, ils n'hésiteront pas à lui coller l'assassinat de Kennedy sur le dos, si tu vois ce que je veux dire... Neumann est fait comme un rat. Ce n'est plus qu'une question de temps.

Seward est tétanisé. Jarvis reprend d'une voix plus douce.

— Rentre chez toi, Simon. Tu es en convalescence, alors profites-en pour te reposer un peu.

— C'est pour ça que tu n'es plus pressée. Castelli vient de t'informer que le FBI s'était fait retirer l'enquête, c'est bien ça ? demande Seward qui ne sait plus quoi penser.

— Ce n'est pas aussi simple que cela. La pression était vraiment palpable dans la salle de réunion et, malgré tout, Jamison a su garder son sang-froid et imposer d'entrée de jeu son plan d'action. À coup sûr, il n'en est pas à sa première opération de la sorte. Son plan d'attaque semblait convenir à tout le monde... jusqu'au moment où il a annoncé qu'il allait déclencher la grande alerte générale avec médias, mandats d'arrêt, agents postés dans les douanes, gares, aéroports, et tout le bataclan. C'est alors que ça a coincé. Jamison a compris que tout ce beau monde grinçait des dents et il a réalisé à quel point Neumann était un gros, un très gros poisson. L'expression de son visage a changé du tout au tout. J'ai compris qu'il pensait enfin tenir sa chance de se faire valoir en haut lieu et que la capture de Neumann allait lui rapporter gros s'il savait s'y prendre. Il a échangé un regard avec le gros bonnet qui était assis à l'autre bout de la table, juste en face de lui et ce dernier a hoché la tête. Jamison a alors fait volte-face et leur a promis de leur livrer Neumann dans les 48 heures sans faire la moindre vague. Son vis-à-vis lui a adressé un sourire d'approbation. La réunion a aussitôt été levée.

Jamison a donc carte blanche, mais pour 48 heures seulement. Après cela, la direction des opérations lui sera retirée et ils feront à leur manière. Après leur départ, l'équipe s'est réunie et tout le monde s'est retroussé les manches. On a élaboré un piège adapté à la personnalité de Neumann. Avec toutes les informations qu'on a accumulées sur lui, son profil fut plutôt simple à établir, un véritable jeu d'enfant. Il est extrêmement prévisible, car, mis à part le meurtre du pasteur, il n'a jamais changé de méthode. Neumann a eu le *Tueur à la casquette rouge* en thérapie et elle n'a pas fonctionné. Du coup, il le prend comme un échec personnel. Il se sent responsable de ce que ce cinglé a fait subir à cette fillette et, comme il est resté impuni, il va tenter de lui régler son compte… comme il l'a déjà fait avec le pédophile d'Hagerstown. Il ne nous restait plus qu'à vérifier un truc: Neumann n'a jamais frappé deux fois à la même place. Or, Lowen habite à Baltimore. Nous avons donc lancé une recherche à large spectre et, à notre connaissance, Neumann n'a jamais frappé dans cette ville. Malgré ce résultat, on ne peut cependant pas écarter la possibilité qu'il y soit quand même déjà passé à l'action. Mais encore là, Lowen était un de ses patients et, à elle seule, cette donnée suffirait largement à ce qu'il outrepasse ses propres règles. Inutile de te dire que Lowen a été mis sous haute surveillance et qu'il nous sert pour ainsi dire d'appât, bien qu'il n'en sache rien…

— Lowen n'en a pas été informé ! s'écrie Seward, abasourdi.

— Bien sûr que non. *Iceman Killer* a préféré s'éclater la tronche contre le mur de béton de sa cellule plutôt que de sortir de tôle pour nous aider à capturer Neumann… Jamison n'a pas voulu prendre de risques avec Lowen sur ce coup-là, précise Jarvis qui, mal à l'aise d'avoir à défendre cette décision, détourne son regard, avant de reprendre calmement. Jamison est tellement certain que Neumann va s'attaquer à Lowen qu'avant même le début de la réunion, il avait déjà posté un de ses hommes devant chez lui. Le piège se referme. Cependant, il y a un hic, et c'est la raison pour laquelle Castelli vient de me téléphoner. Contre toute attente, il s'est entretenu avec Neumann ce matin, et Jamison a alors tenté de le cueillir.

— Ils l'ont déjà pincé ?

— Non, et ça n'a pas très bien tourné… Neumann a dû voir venir le coup. L'équipe tactique a appréhendé un clochard qui tenait un portable neuf à la main et qui portait le manteau que Neumann avait sur le dos hier matin lors de son point de presse. Dans la doublure, ils ont trouvé un montage électronique composé de deux portables liés avec du ruban adhésif. Il est fort probable que Neumann ait observé la scène à distance.

D'après Castelli, après un coup pareil, Neumann ne nous fera plus confiance et il sait maintenant qu'on est à sa poursuite. Il faut donc désormais le considérer comme un homme traqué et extrêmement dangereux. Voilà… tu es dans le secret des dieux maintenant. Si tu veux bien me laisser, Simon, que j'aille enfiler quelque chose… ils vont sûrement me rappeler d'une minute à l'autre.

Troublé, Seward la regarde sans mot dire. Jarvis lui ouvre la porte quand son portable recommence à sonner sur la petite table d'entrée. Encore sous le choc des révélations de sa coéquipière, Seward sort machinalement de l'appartement, incapable d'ajouter quoi que ce soit.

— Prends soin de toi, lui susurre langoureusement Jarvis en refermant la porte à double tour derrière lui.

Seward reste un moment dans le couloir à fixer le vide. Puis il se dirige lentement vers l'escalier quand son portable se met à sonner à son tour. Perturbé, il le colle sur son oreille sans répondre.

— Simon, Simon c'est toi ?

— Oui, c'est moi !

— C'est Denis. Qu'est-ce que tu fous ? Réponds quand tu décroches !

— Excuse-moi, j'avais la tête ailleurs.

— Il y a quelque chose qui ne va pas ?

— Non, rien.

— Tu es chez toi ?

— Non, je suis chez Nicole.

— La nuit a été bonne, Casanova ? demande Robinson en riant.

— Ce n'est vraiment pas le moment.

— Bon, d'accord. Je te taquinais un peu. En fait, tout ce que je voulais savoir, c'est si j'allais pouvoir récupérer ma voiture un jour.

— Je vais te la ramener bientôt, ne t'inquiète pas.

— Parfait... Est-ce que tu as lu le journal ce matin ?

— Non, pourquoi ?

— Tu as écouté la télé ?

— Non plus.

— Tu n'es pas au courant ?

— Quoi, qu'est-ce qu'il y a ?

— Neumann s'est attiré les foudres de tous les grands maîtres spirituels de ce monde avec ses déclarations à l'emporte-pièce sur les *Centuries* de Nostradamus, raconte Robinson.

— Oh ! Le Grand Monarque.

— Venant de n'importe qui d'autre, une telle déclaration serait passée inaperçue et son auteur aurait été bon à enfermer. Mais venant d'un homme de sa condition, qui plus est a fait la une de tous les journaux pour avoir sauvé la vie d'un agent du FBI, il y a de quoi ameuter les foules. Tu devrais les entendre à la télé, ils parlent tous de blasphème, d'hérésie, de suppôt de Satan, d'envoyé de l'enfer et d'Apocalypse... Bref, ils sont tous en train de déchirer leur chemise devant les caméras.

Seward reste songeur, le portable soudé à l'oreille.

— Allez, je te laisse, conclut Robinson.

— Oh ! Attends ! J'ai une énigme pour toi.

— Vas-y, je suis incollable.

— D'après toi, quelle est la seule chose que l'Homme arrive à faire qu'aucun autre animal n'a réussi à ce jour ?

— Quoi ? Bon sang, Simon ! Qu'est-ce que vous avez tous avec cette question ? Je n'en sais foutrement rien. Je venais à peine de réussir à me la sortir de la tête. J'ai cette putain d'énigme qui me trotte dans le ciboulot depuis hier, et il n'y a rien à en tirer. C'est le genre de question de merde qui t'occupe l'esprit 24 heures sur 24. D'après moi, il n'y a tout simplement pas de réponse à cette question. Elle n'est bonne qu'à te torturer. C'est dimanche, Simon, détends-toi. T'as sûrement mieux à faire qu'à te travailler les méninges.

— Tu as peut-être raison.

— De toute façon, je ne peux pas me la retirer de la tête. Si je trouve quelque chose, je te rappelle. Et toi de même.

— Bien sûr, merci.

— Allez, à plus tard.

— À plus tard.

Seward commence à descendre l'escalier. Dans l'appartement, Jarvis dépose son portable sur la table d'entrée et aperçoit le sac en plastique laissé là la veille par Seward. Elle y plonge le nez et reconnaît les articles qu'elle avait choisis à la pharmacie. Elle fond en larmes.

— Simon, tu es encore là ? s'écrie-t-elle à travers la porte close.

Seward remonte en vitesse vers la porte de Jarvis.

— Oui, je suis là, Nicole. Est-ce que ça va ? demande-t-il, alarmé par le ton angoissé de la jeune femme.

— Ce n'était pas la première fois.

— Quoi ?

— Ce n'était pas la première fois que mes parents se disputaient, poursuit Jarvis dont les larmes ruissellent sur ses joues.

— Ouvre-moi, Nicole.

— En fait, ils se disputaient plus souvent qu'à leur tour. Je crois que…

Jarvis éclate en sanglots. Elle se laisse glisser sur le sol, le dos appuyé sur la porte.

— Nicole, ouvre cette porte.

— Il était constamment en train de me dire que j'étais trop faible pour survivre et que je ne réussirais rien comme ma mère, poursuit-elle, des trémolos dans la voix.

Ma mère adorait les chemisiers vaporeux, les mini-jupes, les robes fleuries et les chaussures à talons aiguilles. Elle les achetait et, tu sais quoi, elle les gardait bien cachés au fond d'une penderie. Elle ne les portait jamais pour ne pas avoir à supporter les sarcasmes grivois de mon père. Quand on était seules à la maison, elle enfilait ces vêtements et défilait devant moi. Qu'est-ce que j'étais heureuse avec elle…, mais vivre avec mon père était une tout autre histoire. D'aussi loin que je me souvienne, il passait le plus clair de son temps à raconter des blagues dénigrantes sur les femmes et à émettre des remarques insidieuses qui, à la longue, finissent par te démolir complètement. Et moi, je riais comme une idiote, peu importait sa victime, même quand c'était moi ou encore maman.

— Tu n'étais qu'une enfant…

— Ouais, une enfant stupide. Tu sais comment fait un Taliban pour savoir si sa femme a osé retirer son voile dans la journée?

— Non.

— Il le demande à sa meilleure amie. Voilà comment je me sens, comme une traîtresse, une lâche qui a vendu son âme dans l'espoir d'un peu d'amour paternel. J'étais prête à tout pour cela.

Jarvis soupire, s'essuie les yeux et reprend.

— Est-ce que tu sais ce qui fait le plus saliver une femme?

— Non, répond Seward qui n'ose pas se compromettre.

— La vue d'un bébé! s'exclame Jarvis en ouvrant les bras. Est-ce que tu sais ce qui fait le plus saliver un homme?

— Une femme? se risque Seward.

— Rêve toujours! Une putain de pizza! La majorité des hommes préfèrent la vue d'une pizza à celle d'une femme nue…

— Là, tu exagères!

— Pas le moins du monde, Simon, et c'est bien ça le pire. Les études sont catégoriques. Une pizza et rien d'autre. Et ce sont eux qui mènent le monde. Édifiant, non? La planète est vraiment entre de bonnes mains. En résumé, si tu veux qu'un homme te demande en mariage, tu ne t'achètes pas des dessous affriolants, tu ouvres une pizzeria! Mon père ne voulait pas me garder près de lui. En fait, tout ce qu'il voulait, c'était ne pas payer de pension alimentaire… c'est toi qui as raison, Simon. Comment ai-je pu être aussi stupide et croire que c'était parce qu'il m'aimait et non pas pour faire du mal à maman. J'étais une petite fille, je rêvais d'avoir mon père pour moi toute seule. J'ai parlé en mal de maman au tribunal et, le lendemain, elle était morte sans que je puisse lui dire que je l'aimais ni même adieu, poursuit Jarvis en sanglotant. Il a multiplié les conquêtes toutes plus jeunes les unes que les autres. J'ai honte, j'ai tellement honte de tout ça. Je t'ai menti, Simon, avoue-t-elle en essuyant son visage avec les manches de son peignoir.

— Ce n'est rien.

— J'aurais tellement aimé conduire des camions comme lui, mais je n'ai jamais voulu passer mon permis poids lourds. Tu sais pourquoi ?

— Non.

— Car je savais qu'il en aurait profité pour m'exploiter et je ne voulais pas vivre ça. J'aurais tellement aimé qu'il soit un bon père. Sa dernière petite amie, celle qui était avec lui lorsque je suis partie... c'était une pauvre fille qui avait accepté de vivre avec lui, car elle n'avait nulle part où aller. Elle restait là pour pouvoir économiser suffisamment d'argent pour s'en sortir. Elle répétait sans cesse qu'elle aurait adoré avoir une sœur. En fait, à bien y penser, je crois qu'elle disait ça pour que je devienne son amie. Elle aurait alors eu l'impression de vivre dans une famille normale. Elle me ressemblait un peu et, mis à part le fait qu'elle couchait avec mon père, on aurait pu y croire. On aurait constitué une sorte de famille incestueuse sans l'être vraiment, achève-t-elle en souriant, se moquant elle-même de sa vie familiale pour se détendre un peu.

— Je ne sais pas quoi répondre, Nicole.

— Ce n'est pas grave… J'ai tellement mal… J'ai tellement honte de moi. Je me sens tellement minable.

— Non, je suis fier de toi.

— Ah oui ? Et pourquoi donc ? Pour t'avoir menti, pour m'être menti à moi-même pendant tant d'années, pour avoir protégé un père qui n'en valait pas la peine ? Quelle idiote !

— Arrête ça, Nicole.

— Après que je sois allée vivre avec ma grand-mère, j'ai continué de voir mon père régulièrement. Il me manquait vraiment. Je sais que ça a l'air complètement débile, Simon, mais ce besoin provenait uniquement du fait qu'il m'a toujours rejetée. Se faire traiter de la sorte provoque un tel sentiment d'impuissance que ça détruit toute parcelle d'estime de soi. Mais, petit à petit, j'ai pris de l'assurance et j'ai réalisé que de le voir me faisait plus de mal que de bien. Dans un mois, ça fera quatre ans que j'ai coupé tout contact avec lui. C'est un véritable connard sans le moindre respect pour qui que ce soit. C'est un dégueulasse, et rien d'autre !

— C'est bien, Nicole. Lâche un peu de vapeur. Ça ne peut que te faire le plus grand bien.

Jarvis donne alors un violent coup de coude dans la porte qui tremble sous le choc.

— Qu'il aille se faire foutre, ce sale connard de misogyne de merde !

— Oh, oh ! Pas trop fort ! Ça va aller, ça va aller, Nicole…

— Qu'est-ce qui va se passer maintenant ? Qu'est-ce que je dois faire ? Qu'est-ce que je dois faire ?

— Je ne sais pas. Mais ta mère serait très fière de toi.

Jarvis s'essuie les yeux, puis regarde autour d'elle.

— Quelle heure est-il ?

— Il est quatorze heures quarante-cinq.

— Quoi ! Non, c'est pas vrai ! crie-t-elle en se relevant d'un bond.

— Qu'est-ce qui se passe ?

— Je vais rater mon tour de garde.

— Je croyais que tu n'en avais plus.

— On m'a dit qu'à la télé, les prédicateurs du dimanche n'ont que Neumann et le Grand Monarque à la bouche.

— Oui, je sais, Denis m'a raconté.

— Jamison a piqué une sainte colère. Il craint que le vent tourne et qu'on lui retire l'affaire plus tôt que prévu. Il veut coincer Neumann, et vite. J'ai reçu de nouvelles instructions, lui lance-t-elle en se précipitant vers la chambre.

Seward, qui l'entend s'éloigner, s'enflamme.

— Attends, Nicole, ouvre-moi cette porte !

Jarvis stoppe net sa course, fait demi-tour, tourne la poignée d'une main et défait la chaîne de l'autre. Puis elle repart aussitôt vers sa chambre en courant. Seward n'a plus qu'à pousser la porte pour entrer. Il la referme derrière lui et suit Jarvis dans la chambre.

— Est-ce que tu as l'adresse de la fillette ?

— Quoi ? demande Jarvis, en enfilant rapidement sa culotte sous son peignoir.

— L'adresse de la famille de la gamine qui a été assassinée par Lowen.

— J'ai très bien compris de qui tu parlais. Oui. Hier, Jamison m'a envoyée en mission commandée pour demander à son père de communiquer avec nous si Neumann se présentait à sa porte pour lui offrir ses services de thérapeute ou obtenir de l'information sur Lowen. Bien que cela soit peu probable, d'autant plus que Neumann sait maintenant qu'il est recherché. Jamison m'y a dépêchée à tout hasard. J'ai son adresse, mais il n'est pas question que je te la donne.

— Nicole, file-la-moi, je veux juste aller y faire un tour. Je me sentirai mieux après et l'on n'en reparlera plus.

Jarvis défait la ceinture de son peignoir.

— Tourne-toi !

— Quoi ?

— Tourne-toi, Simon.

— On n'en est plus là, toi et moi, Nicole, rechigne Seward en se retournant.

— On verra ça plus tard. Merde, Simon, qu'est-ce que tu veux aller foutre là-bas ? demande Jarvis en retirant son peignoir.

— Rien, c'est juste que j'aimerais vérifier un truc ou deux, c'est tout.

— Qu'est-ce que tu veux dire par un truc ou deux ? s'inquiète Jarvis en attachant son soutien-gorge.

— Je te l'ai dit tout à l'heure, je ne suis pas sûr de ce que voulait dire Neumann, alors…

— Ça suffit, j'en ai assez entendu. Oublie ça, conclut sèchement Jarvis en enfilant un chemisier, mettant fin à toute discussion.

— Non. Allez, file-moi son adresse. Fais-moi confiance, Nicole, insiste Seward en se retournant sans y penser.

Debout en chemise et petite culotte, Jarvis le fixe en attendant la suite. Leurs regards se croisent et Seward remarque ses yeux rouges et boursouflés par les pleurs. Il est pris d'un soudain désir de la serrer contre lui pour la consoler. Il s'approche, lui glisse une main dans les cheveux, l'enlace et approche ses lèvres des siennes. Jarvis le repousse à demi, puis elle ferme les yeux et s'abandonne entre ses bras. Seward dépose un doux baiser sur son front, relâche lentement son étreinte et recule. Émue, Jarvis replace ses cheveux et essaie de reprendre ses esprits. Elle se dirige vers la garde-robe et sort un pantalon noir. Elle le regarde pensivement, puis le replace avant de faire glisser les cintres de nouveau. Son regard tombe sur une jupe à plis plats rose bonbon, bien emballée sous une housse plastique. Elle n'a jamais osé la porter. Sans plus y penser, elle la jette sur le lit et déchire nerveusement la cellophane qui la recouvre. Elle l'enfile, retourne dans la penderie, attrape la paire de souliers assortis qu'elle a achetée le même jour et la sort de son coin sombre. Ainsi parée, elle cherche le regard de Seward. Il n'a d'yeux que pour elle. Il ne l'a jamais vue dans un vêtement aux couleurs aussi éclatantes, mais il se garde bien d'émettre la moindre remarque. Jarvis s'approche et dépose un baiser sur sa joue. Puis elle saisit un élastique sur la commode et sort de la chambre tout en lissant ses cheveux vers l'arrière pour les nouer en queue de cheval. Elle gagne la cuisine, attrape sac à main, portable et clefs au passage, file vers l'entrée, endosse une veste noire et quitte l'appartement. Elle s'arrête subitement, respire à fond et rebrousse chemin. Dans l'entrée, elle aperçoit Seward qui vient de sortir de la chambre. Il se tient debout au fond du couloir, les mains dans les poches.

— Je ne pourrai plus rien te refuser maintenant, Simon. Et comme si ce n'était pas assez, je n'ai pas l'impression de te mériter. Je n'arrive pas à croire que je viens de te dire ça… Enfin, j'espère que tu n'en abuseras pas trop !

Elle ouvre son sac à main, sort son calepin et son stylo, inscrit l'adresse demandée et détache la page du calepin. Elle court vers la table d'entrée, y dépose le papier plié en deux et s'éloigne à grands pas.

— Fais attention à toi, Nicole.

Jarvis s'arrête et esquisse un sourire avant de saisir la poignée de la porte.

— Je dois y aller maintenant.

— Je t'aime, lui murmure Seward.

Les yeux de Jarvis s'emplissent de larmes. Elle tente de lui répondre, mais aucun mot ne parvient à franchir ses lèvres tant elle a la gorge serrée. Elle referme bien vite la porte derrière elle, descend les marches deux à deux, court dans le parking jusqu'à sa voiture et démarre en trombe.

Seward ramasse le bout de papier et sort lentement de l'appartement en le dépliant.

— … Fredericksburg, termine-t-il à voix haute en levant la tête.

Il enfonce le papier dans sa poche de veston et emprunte l'escalier à son tour.

*
* *

Au même moment, Neumann, attablé dans un petit restaurant de bord de route, regarde l'heure. Tout seul dans la petite salle à manger d'une dizaine de tables, il se met à l'aise et entreprend la lecture du menu déposé devant lui, entre une bouteille de Ketchup et un panier tapissé d'une petite serviette à carreaux rouges et blancs rempli de cacahouètes. Mise à part la vue sur la route, on se croirait dans un véritable bistro parisien.

— Est-ce que vous êtes prêt à commander ? demande doucement une jeune fille à la voix claire. Neumann lève les yeux sur une fillette d'une dizaine d'années qui lui sourit timidement. Surpris par son jeune âge, il remarque qu'elle porte, au-dessus de ses vêtements, un tablier attaché autour du cou et de la taille. Il n'y a pas le moindre doute, c'est bien elle qui vient de lui adresser la parole.

— Désolé, j'étais perdu dans mes pensées. Que me proposez-vous, Mademoiselle ? demande-t-il en retrouvant son sourire.

— Notre hamburger est très bon et, si vous êtes plus affamé, la pizza garnie du chef est à 2 pour 1.

Malgré toute sa bonne volonté, Neumann ne peut s'empêcher de la dévisager. Puis il jette un coup d'œil en direction des cuisines, derrière un haut comptoir en bois massif d'une autre époque, d'où proviennent des bruits de casseroles et de vaisselle qui traversent sans difficulté les minces portes battantes.

— Ta gueule ! vocifère un homme à la voix grave.

— Va te faire foutre ! lui répond sans retenue une voix de femme.

Un bruit d'assiette qui vole en éclats met un terme à la discussion. Neumann sursaute sous le regard de la jeune fille qui attend sans broncher la réponse de son client. Il se ressaisit.

— Pardonnez-moi, je n'ai pas l'habitude. Bon… la spécialité du chef c'est… ?

— Papa cuisine d'excellentes pâtes à la sauce béchamel. C'est sa spécialité, vous allez adorer ça. De plus, vous avez droit à un verre de vin blanc pour les accompagner, répond la jeune fille qui débite sa tirade avec un enthousiasme peu commun.

— Alors, allons-y pour une assiette de pâtes ! acquiesce Neumann en lui rendant le menu, le sourire aux lèvres.

— Ça sera le spécial Fredericksburg, confirme la fillette en inscrivant laborieusement la commande sur son calepin.

Tout sourire, elle lève les yeux sur Neumann et attrape le menu. La tête bien droite, elle file vers la cuisine, dévoilant ainsi une épaisse natte rousse qui descend jusqu'au bas de son dos. La porte du restaurant s'ouvre soudain.

Neumann se retourne pour voir le nouveau venu. Un homme de 1 mètre 95 en veste de cuir, baraqué comme une armoire à glace, passe le pas de la porte en fléchissant la tête. Il inspecte la salle avant de se diriger vers la table la plus éloignée, dans le coin droit, sous le regard soutenu de Neumann. Le géant tire une chaise et s'assoit face à lui. Les deux hommes s'observent un moment. La fillette revient dans la salle à manger et se dirige directement vers son nouveau client, avec un verre d'eau fraîche et un menu. L'homme tourne son regard dans sa direction et se lève d'un bond. Surprise, la fillette s'arrête à quelques pas de la table. L'homme passe de l'autre côté de la table et s'assoit face aux deux fenêtres à angle, faisant dos à Neumann qui attrape son verre et avale une gorgée.

18

15 h 15, dans une épicerie de Fredericksburg, Virginie…

Confortablement installé dans le siège de sa voiture, Lowen épie depuis un moment les allées et venues devant la porte de l'épicerie. Soudain, la petite Karen Rockwell et sa copine sortent, les mains pleines de friandises et le sourire aux lèvres. Elles se campent devant le commerce et comparent avec animation leurs bonbons, comme si le temps n'existait plus. Aux aguets, Lowen ne les lâche pas du regard. La discussion entre les fillettes s'envenime et l'une d'elles pousse l'autre sur l'épaule. La petite fille riposte en tirant les cheveux de sa copine. Lowen s'avance sur le bout de son siège pour ne rien manquer de la scène. Une femme, poussant un landau et portant un second enfant bien calé sur une hanche, arrive à leur hauteur et s'interpose entre les deux jeunes antagonistes. La mère de famille parlemente avec les deux petites jusqu'à ce qu'elles échangent à contrecœur une poignée de main. La femme leur sourit et l'une des deux gamines part en courant en direction de la voiture de Lowen. Ce dernier s'enfonce rapidement dans son siège. La fillette passe devant le véhicule, traverse la rue et se dirige vers un petit parc composé de trois balançoires et d'un toboggan en acier inoxydable qui brille en plein centre d'un carré de sable guère plus grand que lui.

Lowen se redresse lentement, les yeux rivés sur le devant de l'épicerie où Karen est restée figée. Perplexe, elle semble hésiter entre rejoindre sa camarade ou rentrer seule chez elle. Elle se décide enfin pour la seconde option et s'engage sur le trottoir en direction de sa maison, sous le regard excité de Lowen qui lui laisse prendre un peu d'avance avant de démarrer tout doucement. Il suit Karen à bonne distance dans les rues paisibles de ce quartier de banlieue où toutes les maisons se ressemblent. Insouciante, la petite fille marche à l'ombre des arbres et passe devant une maison où un homme au torse nu tond sa pelouse. Rassurée, elle se met à trottiner, arrive à une intersection et tourne à droite. Lowen marque consciencieusement le stop et clignote à droite en regardant des deux côtés. Pas la moindre voiture à l'horizon. Il s'engage. Ils ne sont plus qu'à deux coins de rue de la demeure de la fillette. Le cœur battant, Lowen inspecte les environs. La rue est déserte. Il accélère pour la rejoindre quand il aperçoit une femme à genoux devant les plates-bandes qui longent sa maison. Elle fait dos à la route et tapote le terreau autour de ses fleurs. Soulagé, Lowen dépasse Karen et se range le long du trottoir, devant une voiture déjà garée. Il sort du véhicule, le contourne par devant, monte sur le trottoir en enfonçant sa casquette et s'accroupit devant le pneu en le palpant comme s'il suspectait un problème. La petite arrive à la hauteur du pare-chocs arrière. Elle s'arrête un moment, puis poursuit lentement sa route en fixant l'homme qui a la tête tournée, lui cachant ainsi son visage. Hésitante, elle le dépasse, les yeux baissés. Lowen tourne la tête vers elle ; Karen le reconnaît immédiatement. Pétrifiée, elle le fixe en silence. La femme qui jardine de l'autre côté de la rue sent soudainement une présence dans son dos. Elle frémit et se retourne brusquement, mais elle n'aperçoit qu'une Thunderbird grise qui descend lentement la rue. Elle la suit du regard un moment, secoue la tête et retourne prodiguer ses soins à ses fleurs.

*

* *

Bien rassasié, Neumann termine son assiette de pâtes avant de savourer longuement sa dernière gorgée de vin. Le regard perdu au loin, il aperçoit à travers la grande fenêtre une Thunderbird grise qui passe devant le restaurant. Il reconnaît aussitôt le chauffeur. Il dépose hâtivement son verre et sa serviette de table et lève le bras en direction de la jeune serveuse.

— L'addition s'il vous plaît, Mademoiselle ! demande-t-il avant même que celle-ci n'ait eu le temps de rejoindre sa table.

Comprenant qu'il y a urgence, la fillette déchire prestement l'addition de son calepin de commandes et la lui tend. Neumann dépose dans sa main trois billets de dix dollars bien craquants, sans même prendre le temps de vérifier le calcul.

— Gardez le tout, lui dit-il, faisant naître un sourire radieux chez la fillette. Pouvez-vous m'indiquer les toilettes ? poursuit-il en glissant son portefeuille dans son blouson.

— Elles sont juste là, précise gentiment la jeune serveuse en pointant une porte bleue au fond de la pièce.

— Merci.

Neumann se dirige vers l'endroit indiqué, entre dans la petite pièce et aperçoit trois urinoirs alignés sur le mur du fond, à côté d'un petit lavabo. Il contourne une petite flaque d'eau qui s'égoutte lentement à travers une grille et se rend au lavabo. Il ouvre le robinet et cherche du regard la pompe à savon. Il y en a une de chaque côté d'un petit miroir sans cadre placé juste au-dessus du lavabo. Soudain, la porte s'ouvre devant le colosse en blouson de cuir. Il croise le regard de Neumann dans le miroir, s'avance lentement et se campe derrière lui en bombant le torse.

— Tu n'es pas le Grand Monarque. Tu es juste une saleté de nain, lui balance-t-il en arborant une croix latine tatouée sur son poing droit.

— Vous êtes Monsieur ? demande Neumann en activant nerveusement la pompe à savon de droite.

Il a beau appuyer, aucun savon n'en sort.

— Le Prince des princes ne pourra pas arriver sur Terre tant et aussi longtemps qu'Israël ne sera pas un peuple libre et reconnu de tous ! récite le gaillard, telle une vérité incontestable.

La respiration du géant s'accélère pendant que Neumann tente sa chance avec la pompe de gauche, avec succès cette fois.

— Vous êtes de confession évangélique ? Excusez-moi, Monsieur, mais je suis un peu pressé, vous tombez très mal, précise Neumann en se rinçant vigoureusement les mains.

L'homme ne bronche pas.

— Je ne suis pas..., tente de poursuivre Neumann.

Mais l'homme lui coupe abruptement la parole.

— Vous êtes un usurpateur, un imposteur comme tous ces faux prophètes ! Envoyé de Satan ! Jésus t'a mis sur ma route et je n'ai pas l'intention de le décevoir, menace le géant d'une voix belliqueuse.

Pressé, Neumann était sur le point d'abandonner la partie, mais il se ravise, irrité par le fanatisme de son interlocuteur. Il se raidit, s'appuie sur le rebord du lavabo et croise de nouveau le regard de l'homme dans le miroir. Cette fois, la colère se lit dans ses yeux. Il referme le robinet de toutes ses forces.

— Primo, Jésus ne vous a pas conduit jusqu'ici, ce sont vos pieds. Secundo, la mission première de votre Église est de propager un message de paix et d'amour... message auquel, je l'espère, vous vous en tiendrez. Tertio, bien que je ne doute pas qu'un exorcisme vous ferait le plus grand bien, je n'ai pas vraiment de temps à vous accorder, comme je vous l'ai déjà dit. Je suis on ne peut plus pressé. Alors, je vous saurai gré de bien vouloir me foutre la paix !

Sans crier gare, le géant fait une clef de bras autour du cou de Neumann, emprisonnant solidement sa tête. Neumann s'agrippe fermement aux poignées du robinet et lui envoie un formidable coup de pied entre les deux jambes. Le colosse sent à peine la ruade et intensifie sa prise. Le plaisir de la victoire se lit déjà sur son visage. Dans un sursaut, Neumann soulève l'homme sur son dos. Mais il s'agit d'un poids lourd et il est incapable de le faire basculer au-dessus de sa tête. La main droite toujours bien agrippée autour de la poignée, il assène un direct de la gauche dans le miroir qui vole en éclats, attrape un morceau de verre et le dirige vers le visage du colosse qui change subitement d'expression. Effrayé, l'homme lâche sa prise autour du cou de Neumann et tente en vain d'agripper la main qui le menace. Il n'a d'autre choix que de tourner la tête pour éviter de recevoir la pointe dans l'œil. L'éclat de verre effleure son oreille et s'enfonce dans son cou, juste sous sa mâchoire. Le malheureux glisse sur la céramique mouillée et tombe lourdement sur le dos.

Couché dans la flaque d'eau, il respire bruyamment, le regard fixé au plafond. Il porte lentement ses mains vers le morceau de verre tranchant planté dans son cou. Neumann pose le pied sur son bras gauche et attrape au vol son bras droit. Désemparé, le colosse tousse, les yeux grands ouverts, ne croyant pas ce qui lui arrive. Du sang jaillit de son cou et se mêle à la flaque d'eau froide dans laquelle repose sa tête.

— Chut, chut…, ne touchez pas à ce morceau de verre. Ne bougez plus, vous ne feriez qu'aggraver vos blessures. Je vais chercher du secours.

Neumann commence à se relever. L'homme le saisit par le bras et le regarde droit dans les yeux.

— Dieueueueu...

— Ne parlez pas, la pointe de verre risque de se briser. Restez calme, lui conseille Neumann qui peut lire la détresse sur le visage du pauvre homme agonisant.

Ce dernier secoue la tête et prend sa main entre les siennes.

— Jésus, une mission divine et toutes ces fadaises. Faites-vous un cadeau et cessez de croire à toutes ces balivernes, ça va vous tuer, l'exhorte Neumann qui a pitié de son adversaire. Dieu et la religion sont les inventions les plus méchantes et les plus cruelles que l'Homme ait jamais créées.

— Vous êtes...

— Chut... Vous avez une femme, une petite amie, des enfants ?

Avec peine, l'homme acquiesce d'un léger mouvement de la main, les yeux en larmes.

— Une femme et une petite fille ? demande Neumann.

L'homme agite de nouveau la main de haut en bas pour confirmer l'hypothèse.

— Bien... ce sont elles le sens de votre vie. C'est en elles que vous devez croire, et en rien d'autre. Comprenez-vous cela ? C'est tout ce que vous avez à savoir. Ayez foi en vous, en ce que vous êtes. En la vie et en tout ce qu'elle comporte de si magnifique – la terre, le soleil, l'eau, le chant des oiseaux et les sourires de votre femme et de votre fille... – pas en une vue de l'esprit. Prenez toute cette passion pour votre Église et canalisez-la dans l'amour et l'attention que vous leur portez. Vous ne verrez peut-être jamais la venue de votre messie, c'est vrai… mais elles, elles auront à coup sûr le leur. Et, vous savez quoi ? Ce sera vous. Alors, tenez bon. Ça ira, vous verrez… pensez très fort à elles et en un rien de temps, elles seront à côté de vous, l'encourage Neumann.

L'homme le regarde intensément. Les larmes coulent lentement sur ses joues et son corps se détend. Neumann presse sa main.

— Je vais chercher du secours, restez calme.

Il ouvre ses mains, mais, dans un soubresaut, l'homme blessé saisit sa main gauche au vol et la serre de toutes ses forces. Surpris Neumann stoppe net son élan.

— Tout ira bien, ne pensez plus qu'à elles.

— Le Graaaaand Monaaarque, murmure-t-il.

Neumann lui décoche un clin d'œil, pose sa main sur son ventre, se lève d'un bond et file vers la salle à dîner où il croise la jeune serveuse.

— Appelez vite du secours ! Il y a un homme grièvement blessé dans les toilettes, lui enjoint-il avant de quitter les lieux rapidement.

19

15 h 45, sur l'autoroute 95 Nord…

N'arrivant pas à sécher ses pleurs malgré toute sa bonne volonté, Jarvis roule à vive allure sur la voie de gauche en direction de Baltimore. Elle double une à une les voitures qu'elle a peine à distinguer à travers son voile de larmes, quand son portable se met à sonner. Elle tâtonne dans son sac à main, sort un mouchoir de papier et s'essuie les yeux. Elle y replonge la main et en extirpe l'objet hurlant.

— Agent Jarvis, j'écoute, répond-elle en cachant tant bien que mal ses sanglots.

— Nicole, Brown à l'appareil. Je suis posté devant la maison de Lowen. Il y a du nouveau. Neumann est à Washington et il sait que nous le recherchons. Castelli l'a eu au bout du fil ce matin.

— Oui, je sais tout cela. On m'a mise au parfum.

— Bien. Vous devez nous rejoindre bientôt, c'est bien ça ?

— Je suis en route. Je devrais arriver dans moins d'une demi-heure, confirme Jarvis en enfonçant la pédale de l'accélérateur.

— Parfait, mais ne vous pressez pas pour rien, tout est sous contrôle ici. J'ai déjà deux agents de la police de Baltimore avec moi. Lowen est assis bien pénard devant sa télé et il n'y à rien à signaler pour l'instant. Alors, soyez prudente, d'accord.

— Oui, compris. Merci, acquiesce Jarvis qui ne peut s'empêcher d'esquisser un sourire en relâchant la pédale de l'accélérateur, comprenant que son collègue expérimenté a deviné qu'elle se trouve plus loin de Baltimore qu'elle ne veut le lui laisser croire.

— Parfait !

— Il n'y a personne d'autre du Bureau avec vous ?

— Castelli devrait nous rejoindre un peu plus tard. Il doit faire un détour par chez lui.

*
* *

Garrisonville, Virginie…

Castelli roule sur Northampton. Il tourne à droite sur Old English Way, à deux pas de chez lui et aperçoit une chatte noire aux pattes arrières blanches qui sort de sous un perron, un chaton dans la gueule. Elle court en essayant de ne pas attirer l'attention et disparaît derrière la maison voisine. Castelli se met alors à penser au vieil adage crow que Neumann lui a servi un peu plus tôt : *Si tu ne trouves pas la réponse à une question, interroge la nature*.

Il voit réapparaître la chatte dans son rétroviseur. Elle revient vers le perron de la première maison où l'attendent à coup sûr d'autres chatons. Une étincelle se met à briller dans ses yeux.

— Bon sang, chez les Crows, on ne frappait pas les enfants avant la venue des Blancs !

Il freine et se range subitement sur le côté. Il sort son portable et compose le numéro de Jamison lorsqu'un ballon rouge rebondit devant sa voiture. Castelli le suit instinctivement des yeux jusqu'à l'autre côté de la chaussée. Le répondeur de Jamison se déclenche.

— Bonjour. Vous avez bien joint le poste de…

Castelli raccroche et compose le numéro de Brown. Il entend alors un bruit sourd derrière lui. Il regarde dans son rétroviseur et aperçoit une voiture rouge arriver à toute allure. Soudain, un petit garçon d'à peine quatre ans surgit devant son pare-chocs, à la poursuite du ballon rouge, sans se soucier de la voiture qui fonce vers lui à toute vitesse. Pressentant le drame, Castelli lance son portable sur le tableau de bord et donne un formidable coup de klaxon pour avertir à la fois le bambin et l'automobiliste. Au lieu de rebrousser chemin, le petit garçon s'immobilise et se tourne vers la voiture de Castelli. Mais, poussé par son désir de récupérer le ballon, il reprend sa course, le menton enfoncé dans le cou.

— Dégage, Petit ! hurle Castelli.

Sans hésiter, il embraye, braque les pneus vers la gauche, enfonce l'accélérateur, passe devant l'enfant et freine pour bloquer la route. Le jeune automobiliste aperçoit la manœuvre et freine brusquement, faisant crisser ses pneus sur la chaussée. Un épais nuage de fumée et une forte odeur de caoutchouc brûlé envahissent les lieux. La voiture du chauffard glisse sur le bitume et percute de plein fouet la portière de Castelli. L'impact est si brutal que les vitres volent en éclats et la tôle se tord aussi facilement qu'une canette d'aluminium. Toute la charpente, du toit au châssis, se plie en portefeuille et la carcasse glisse jusqu'aux pieds du bambin. L'enfant éclate en sanglots et reste paralysé sur place en regardant sa mère qui accourt vers lui en hurlant. Non loin derrière, son père se précipite vers le véhicule accidenté pour porter secours à l'agent du FBI. Il se penche et blêmit en apercevant sous la tôle froissée le corps horriblement mutilé de l'homme qui vient de donner sa vie pour sauver celle de son fils.

*

* *

À bord du véhicule de Robinson, Seward s'engage sur la bretelle qui donne accès à l'autoroute 95 Sud, en direction de Fredericksburg.

*

* *

Le carillon résonne dans toute la maison. Assis devant l'écran de son ordinateur, Rockwell est soudainement extirpé de l'univers Internet dans lequel il était plongé. Il dépose son crayon, se frotte les yeux et se dirige lentement vers la porte d'entrée. Il l'ouvre, perdu dans ses pensées.

— Bonjour ! Monsieur Rockwell ? demande le visiteur.

— Oui.

— Mes plus sincères condoléances.

— Merci.

Rockwell reconnaît alors l'homme de la photo que Jarvis lui a laissée la veille.

— Vous êtes ? demande-t-il en feignant l'ignorance.

— Je me présente, Auguste Neumann, répond l'homme en tendant un bouquet de fleurs, une bouteille de vin et une boîte rectangulaire emballée d'un joli papier rose.

— Merci, lance Rockwell, en débarrassant Neumann de ses présents.

Intrigué par la boîte rose, il y jette un coup d'œil suspicieux.

— C'est une poupée pour Karen. Les fleurs, c'est pour votre petite amie, précise Neumann, à qui le regard perplexe de son hôte n'a pas échappé.

— Merci… je n'ai pas de petite amie, mais merci quand même.

— Puis-je entrer un moment ?

— Oh ! bien sûr, entrez donc ! Entrez, ne restez pas là.

Neumann pénètre tout sourire dans la demeure et referme la porte derrière lui.

— Vous pouvez vous asseoir dans le salon, je vais déposer tout ça à la cuisine. Je vous ramène quelque chose ?

— Un verre d'eau, merci.

— J'allais préparer du thé.

— Du thé, bonne idée. Merci.

Neumann s'assoit au bout du canapé à trois places appuyé contre le mur, face à la grande fenêtre qui donne sur l'avant de la maison. Il inspecte la pièce. Sur le mur à sa gauche, il aperçoit le foyer surmonté d'un étroit manteau sur lequel reposent pêle-mêle livres et bibelots de plâtre. Son regard se pose sur le jeu d'échecs aux pièces hautes en couleur à l'effigie des soldats de l'armée de Napoléon. Neumann est fasciné par la beauté et la richesse de ce jeu fait main qui ne cadre pas avec le niveau très moyen de la décoration du reste de la pièce.

Pendant ce temps, à la cuisine, Rockwell sort un plateau de sous le comptoir et y dépose deux tasses. Ce faisant, il aperçoit la carte de Jarvis. Il la regarde, pensif. Puis il ouvre un tiroir, y lance la carte et enfonce sa main à travers les objets hétéroclites qu'il contient jusqu'au moment où il sent du bois sous ses doigts. Il attrape un pistolet par la crosse, referme doucement le tiroir et ouvre le barillet ; l'arme est chargée à bloc. Il la glisse dans la ceinture de son pantalon, au creux de ses reins, avant de laisser retomber le pan de sa chemise. Il attrape la boîte à thé et se remet au travail.

Au salon, Neumann poursuit son inventaire des objets qui ornent le manteau de cheminée. Il remarque tour à tour un taureau, un buste d'Alexandre le Grand, une vieille dague au manche travaillé et un plâtre miniature du *Penseur* de Rodin.

— Du thé noir, j'espère que ça vous va ? s'enquiert Rockwell en entrant dans la pièce.

— Parfaitement, merci, répond Neumann en sursautant. Je ne jure que par le thé noir. Il possède des vertus contre le cancer, et il y a une forte prévalence de cette maladie du côté de mon père. Cependant, pour qu'il soit pleinement efficace, il ne faut pas y ajouter de lait, pas même une larme.

Rockwell s'avance sans rien ajouter et dépose le plateau sur la table de chêne. Puis il s'assied dans le fauteuil, face à son hôte, et lui verse une tasse de thé. Neumann reprend la conversation.

— Votre jeu d'échecs est magnifique.

— Merci.

— Êtes-vous passionné par l'histoire napoléonienne ?

— Non, pas du tout, c'est un héritage de ma mère qui, elle, l'avait hérité de son père.

— Oh ! je vois.

Neumann porte sa tasse de thé à ses lèvres, mais le breuvage est si fumant qu'il décide de ne pas s'y risquer.

— Vous connaissez l'histoire de la bataille d'Austerlitz ? demande-t-il en déposant sa tasse dans la soucoupe.

— Non, pas vraiment.

— En 1805, Napoléon se battait contre les rois et les tsars pour abolir les régimes monarchiques à travers toute l'Europe, prônant l'égalité entre les hommes. Il se battait pour les droits civiques universels et l'implantation d'un code civil prônant l'égalité de tous devant la loi. Napoléon combattait sous la devise *liberté, égalité, fraternité*. Pourtant, au lieu de déserter et de gagner les rangs de l'armée de la république libre, les pauvres se battaient à mort pour un tsar ou un roi qui les maintenaient impitoyablement dans un état d'esclavage depuis des générations. Bien que cela puisse surprendre, on ne peut pas en vouloir à ces pauvres bougres, car vous savez ce qu'on dit : *Si vous l'avez bien dressé, un singe qui naît en captivité ne s'évade pas de sa cage, même lorsque vous oubliez d'en fermer la porte*.

Neumann sourit avant de poursuivre.

— Toujours est-il qu'en 1805, Napoléon affronta les empereurs d'Autriche et de Russie dans un combat qui allait marquer un tournant dans l'histoire. Le 21 novembre, à peine arrivé sur le champ de bataille, il envoie une petite troupe de cavaliers affronter la puissante garde cosaque. Le 30 novembre, après une cuisante défaite, Napoléon demande audience à ses opposants. Alors que tous s'attendent à le voir arriver sur sa monture, l'air hautain, Napoléon s'avance à pied, le dos voûté, le visage sale et mal vêtu. D'une voix faiblarde, il quémande un traité de paix à l'émissaire du tsar, un jeune officier arrogant nommé Dolgoroukov. Napoléon refuse cependant de se soumettre aux conditions du jeune négociateur russe. La nuit du 2 décembre, sous le regard des éclaireurs ennemis, l'armée de Napoléon fait mine de lever le camp pour fuir. À sept heures du matin, quand l'armée austro-prussienne composée de 85 000 soldats donne l'assaut, Napoléon leur réserve toute une surprise. Au lieu des 40 000 fuyards qu'ils s'attendaient à massacrer sans combattre, les assaillants se retrouvent rapidement encerclés par 70 000 hommes prêts au combat, dont une redoutable cavalerie aguerrie. La victoire de Napoléon est totale. La vérité n'est pas toujours ce qu'elle paraît être, termine Neumann en fixant Rockwell.

Il se penche, attrape sa tasse de thé, souffle doucement sur le liquide odorant et savoure une gorgée sous le regard intense du propriétaire qui prend une gorgée à son tour. Neumann reprend.

— Je ne suis pas venu ici pour prendre une tasse de thé ni pour vous entretenir de ma passion pour l'histoire napoléonienne. Chris Lowen était mon patient. C'est un véritable sociopathe qui souffre du syndrome de Korsakoff et d'une anaphylaxie qui fait de lui un être redoutable. On ne sait pas quand il se remettra à tuer, mais, croyez-moi, il recommencera.

Étonné, Rockwell l'observe un moment et reprend une gorgée.

— Qu'attendez-vous de moi ?

— Je souhaiterais parler à Karen. Elle est le seul témoin, cela pourrait m'aider à mieux le comprendre et, peut-être même, à faire rouvrir le procès.

Rockwell regarde Neumann, puis baisse les yeux en prenant une autre gorgée.

— Je vais y penser. Est-ce que vous avez une carte ?

— Karen est-elle ici ? Pourrais-je la rencontrer ?

— Non, elle est partie s'acheter des bonbons avec une amie.

*
* *

Jarvis roule toujours sur l'autoroute 95 Nord. Elle n'est plus qu'à quelques mètres de la sortie de Baltimore. Bien qu'elle soit parvenue à sécher ses pleurs, elle ne peut s'empêcher de penser à Seward.

— Pense à autre chose, pense à autre chose, se répète-t-elle sans cesse à voix haute pour combattre son obsession.

Vaincue, elle attrape son portable et compose son numéro, puis coupe la communication avant qu'il n'ait le temps de répondre. Elle recompose... et coupe de nouveau la ligne en se mordillant nerveusement les lèvres.

— Laisse-le venir, laisse-le venir à toi, psalmodie-t-elle pour endiguer son irrésistible besoin de composer inlassablement son numéro de portable.

*
* *

Pendant ce temps, à Baltimore, un garçon et une fille âgés d'à peine neuf ans sortent de la maison adjacente à celle de Lowen, sous les yeux de l'officier Brown. Le petit garçon avance au pas en portant fièrement une boîte carrée autour du cou, tel le premier tambour d'une fanfare militaire. La petite fille court derrière lui, ses longs cheveux bruns retenus par un bandeau et les pieds chaussés de souliers vernis blancs. Elle le dépasse et se précipite vers la résidence voisine, s'instituant tambour-major du défilé. Le garçonnet plonge la main dans la grosse boîte brune qui rebondit sur son ventre et lui tend une tablette de chocolat plus grosse que sa main. La fillette la saisit et les deux bambins se dirigent droit vers la porte de côté de la maison de Lowen, sous le regard attentif de l'agent du FBI. Les enfants prennent d'assaut le perron. Dans un garde-à-vous impeccable, le garçonnet se tient un peu en retrait de la fillette qui se hausse sur le bout des pieds et appuie sur la sonnette.

L'occupant des lieux se redresse dans son fauteuil. La petite fille fait retentir de nouveau la sonnette. L'homme se lève d'un bond et disparaît du champ de vision de Brown qui observe les allées et venues de sa cible à travers la mince ouverture laissée par les rideaux du salon. Soudainement inquiet, l'officier patiente un moment, mais ne voit toujours pas l'occupant réapparaître. Il attrape son portable et compose un numéro. Il tombe sur une boîte vocale.

— *Vous avez bien joint l'agent Jarvis…*

Cette dernière tente de nouveau de joindre Seward qui roule sur l'autoroute 95 Sud. Devant sa vaine tentative, elle soupire et laisse retomber l'appareil sur le siège passager.

Brown referme son portable sans laisser de message et s'apprête à sortir de son véhicule quand la porte de la maison de Lowen s'ouvre. Mais il ne peut apercevoir l'occupant qui est resté à l'intérieur. Les enfants entrent dans la maison. Brown se tourne vers les policiers de la ville stationnés dans une voiture banalisée derrière lui, de l'autre côté de la rue. Le chauffeur est assis sur le bout de son siège, les deux mains crispées sur le volant et le nez collé au pare-brise. Il lui adresse aussitôt une œillade lui indiquant qu'il suit toute la scène de même que son collègue qui n'a pas lâché la porte du regard. Brown reporte son attention sur la maison et ouvre sa portière quand les deux enfants ressortent, le sourire aux lèvres. Il se détend. La porte se referme et les enfants quittent le parking. La mine réjouie, la fillette a troqué la tablette de chocolat pour de l'argent. Elle s'arrête et glisse les pièces de monnaie dans la poche du pantalon du garçonnet qui reste immobile comme un petit soldat de plomb. Brown, qui s'est confortablement adossé, jette un nouveau coup d'œil en direction de ses collègues du Service de la police de la ville. Décontracté, le chauffeur lui sourit. Brown lui retourne la pareille quand il remarque un adolescent à bicyclette, vêtu d'un t-shirt noir arborant une tête de mort sur le devant. Il fend l'air en passant entre les deux voitures. Ses réflexes professionnels en alerte, Brown cherche à voir le visage du jeune homme, mais il est dissimulé sous une longue chevelure foncée enserrée dans une casquette noire bien calée sur les oreilles, la visière enfoncée jusqu'au nez, ce qui fait sourire l'agent du FBI.

— *Il n'y a pas de risque que ta mère te reconnaisse.*

Puis son sourire s'efface. Il attrape le compte rendu sur le siège passager et le feuillette nerveusement.

— Merde ! C'est pas vrai ! s'écrie-t-il en posant la main sur son portable.

— Agent Jarvis, j'écoute…

— Lowen a une casquette enfoncée sur les oreilles depuis mon arrivée. Il est venu ouvrir la porte à des enfants, mais il est resté caché à l'intérieur. Je n'ai donc pas pu voir son visage et là, les enfants sont repartis ! vocifère Brown en état de panique, en essayant de voir à travers la grande fenêtre de la demeure tout en continuant de feuilleter le calepin.

— Vous croyez…

— Je sais qu'il a bougé à midi, juste avant que je prenne mon tour de guet. Il est allé dans une station-service, mais je ne suis plus sûr si l'officier qui l'a suivi est entré avec lui ou… merde ! C'est pas vrai ! rugit Brown en tombant enfin sur la bonne page. Il a écrit qu'il l'a suivi à la station-service et non dans la station-service. Ce qui veut dire qu'il ne l'a peut-être pas suivi à l'intérieur ! Je fonce !

— Hé ! Attendez ! rétorque Jarvis qui a peine à suivre le raisonnement de son collègue.

Mais Brown a déjà déposé son portable. Il sort du véhicule, dégaine son arme et fait signe aux policiers de la ville de le suivre. Désemparé, l'officier au volant sort en posant sa main sur son arme pendant que son collègue bondit du véhicule. Tous deux suivent l'agent du FBI sans trop comprendre ce qui se passe. Brown se colle contre le mur, à deux pas de la porte de côté de la maison. L'un des policiers le rejoint et se place de l'autre côté de la porte pendant que le troisième s'installe le long du mur, derrière Brown.

— Qu'est-ce qui se passe ?

— Je ne suis pas certain que ce soit notre homme qui est là. Je vais frapper, couvrez-moi.

Les officiers hochent la tête. Brown cogne deux coups à la porte. Rien ne bouge. Il appuie alors sur la sonnette. Il entend des bruits de pas qui s'approchent.

Puis la porte s'ouvre. Brown scrute attentivement le visage de l'homme sous la casquette rouge et constate tout de suite qu'il ne s'agit pas de Lowen, bien qu'il lui ressemble. Le sang se retire de son visage.

— Police ! Mains en l'air ! ordonne-t-il, en pointant son arme vers l'usurpateur. Sortez immédiatement de la maison !

L'homme s'exécute sur-le-champ.

— Je ne résiste pas à mon arrestation ! Je ne résiste pas à mon arrestation !

— À genoux, face contre terre ! aboie férocement l'agent du FBI.

Le policier de la ville range son arme, sort les menottes et les passe à l'homme couché sur le sol. Puis il l'aide à se relever et le retourne face à Brown qui lui retire sa casquette, comme s'il ne voulait pas y croire.

— Nom de Dieu ! s'exclame-t-il, les dents serrées.

Il file vers sa voiture pendant que l'homme menotté et encadré par les deux policiers de la ville se tourne vers l'un deux.

— Je vous dirai tout ce que vous voulez savoir. Je ne veux pas être mêlé à quoi que ce soit.

Arrivé à sa voiture, Brown attrape son portable sur le siège.

— Jarvis !

— Oui ! crie la jeune femme dont l'anxiété n'a cessé de grimper pendant ces quelques minutes qui lui ont semblé une éternité.

*

* *

Parc de maisons mobiles, Fredericksburg…

Dans un parc ceinturé d'une clôture métallique se dresse le mât de bois restauré d'un ancien navire de la marine marchande en haut duquel bat un drapeau américain effiloché par le vent. Le mât est solidement ancré à deux mètres de la clôture, juste à l'angle d'une maison mobile, la première du lot, située à dix mètres à peine de la route. Dans la cuisinette, Lowen s'apprête à ouvrir un tiroir. Il tourne la tête en direction du salon.

— Tu veux boire ou manger quelque chose?

Assise par terre devant l'écran de télévision, la petite Karen refuse d'un timide signe de tête sans même le regarder. Lowen ouvre le tiroir et en sort une pierre à aiguiser qu'il dépose sur le comptoir. Il se retourne, saisit par le manche un énorme couteau de boucher, place son autre main sur l'étui plaqué contre le mur et l'extirpe d'un seul coup avec l'aisance de l'habitude. Il attrape la pierre à aiguiser et frotte alternativement le tranchant de la lame sur et sous la pierre. Il lève la tête et son regard tombe sur un vieux crochet rouillé vissé au plafond, juste au-dessus de la tête de la fillette. Pensif, il suspend son geste et se tourne vers la petite Karen. Elle reste là, gentiment assise devant la télévision. Elle est si sage qu'il croirait voir un ange. Une larme perle sur sa joue. Il l'essuie du revers de la main et reporte son attention sur la lame étincelante du couteau. Il reprend lentement son affûtage en glissant inlassablement la lame sur la pierre, puis sous la pierre, sur la pierre, sous la pierre, sur la pierre…

*
* *

Estomaquée par la nouvelle de Brown, Jarvis referme aussitôt son portable, freine brusquement et bifurque sur la voie de droite en coupant aveuglément la circulation. Le conducteur d'une camionnette qui roule dans son angle mort freine à son tour en donnant un coup de volant vers la gauche. Furieux, il klaxonne sans discontinuer pendant que Jarvis s'immobilise sur l'accotement de gravier en soulevant un épais nuage de poussière. En la dépassant, le chauffeur constate que c'est une jeune femme qui vient de le couper et redouble de fureur.

— Va apprendre à conduire, salope ! hurle-t-il en lui servant un doigt d'honneur.

Jarvis, qui normalement lui aurait retourné sa politesse, se surprend à hausser simplement les épaules. Ignorant les grimaces de l'enragé, elle ouvre son portable et recompose le numéro de Seward.

— Allez ! Réponds, Simon ! Réponds !

En attendant que son coéquipier décroche, Jarvis suit des yeux la camionnette qui vient à peine de la doubler.

— Merde, réponds, Simon !

Soudain, à quelque 500 mètres, elle voit s'allumer ses feux stop. Contre toute attente, le véhicule se range à son tour.

*
* *

Neumann avale une dernière gorgée de thé et dépose sa tasse dans la soucoupe, sur la table basse en chêne massif.

— S'agit-il du *Penseur* de Rodin ? demande-t-il en se dirigeant vers la statuette. Avant la création de cette sculpture, les statues et bustes des maîtres nous présentaient toujours des personnages tristes ou heureux, au travail ou au combat, courbés devant un dieu ou redressés en vainqueurs. Bien qu'à l'origine son œuvre devait personnifier le poète Dante, Rodin osa présenter l'Homme comme un être qui doute. Non pas à genoux devant Dieu, mais en homme qui ose se faire confiance et qui décide de se mettre à nu en cherchant la réponse à l'intérieur de lui… en libre penseur. Il essaie de revoir la place qu'il occupe sur cette terre.

Neumann jette un regard sur Rockwell, puis se retourne vers la statuette et poursuit.

— Ce que j'ai accompli jusqu'à maintenant… est-ce bien ? Dois-je continuer ? semble-t-il se demander. La remise en question, voilà l'apport culturel grandiose de cette œuvre ! Pour la toute première fois de son existence, l'Homme présente une image de lui-même où il n'est plus une brute qui domine son environnement à coup de maillet ni un ignorant qui fait des incantations pour améliorer sa vie ou mériter un hypothétique paradis. Il a désormais suffisamment d'esprit pour remettre toutes ses croyances en question. La bête face à elle-même… qu'est-elle devenue ? L'autocritique, termine Neumann en déposant lentement sa main sur la dague qui repose à côté de la statuette.

Le *Penseur* de Rodin

— Lâchez ça ! ordonne Rockwell en pointant son pistolet en direction de Neumann.

*

* *

Seward roule sur l'autoroute quand son portable se met à sonner pour la ixième fois. Comme le demandeur semble raccrocher chaque fois qu'il répond, il décide de le laisser sonner plus longtemps. Il répond enfin, sans trop y croire.

— Agent Seward, j'écoute.

— Simon, Lowen n'est pas chez lui, il nous a échappé ! hurle Jarvis.

— Mais je croyais pourtant que…

— File vite chez Rockwell, Simon ! Il va sûrement tenter de s'en prendre à la fillette. Il nous a monté une mise en scène avec un ami. S'il a pris la peine de le faire, c'est qu'il a l'intention d'ajouter une nouvelle victime à son tableau de chasse ou de s'en prendre à celle qui a failli le faire mettre derrière les barreaux pour le reste de ses jours.

— Karen ?

— Elle est chez son père. File chez lui !

— Il faut les prévenir.

— Je m'en occupe, Simon. Fonce, je te rejoins là-bas !

Son téléphone se met à émettre un bip lui indiquant qu'un autre appel essaie d'entrer.

— Il y a quelqu'un qui tente de me joindre sur l'autre ligne. Je dois te laisser, Simon.

— D'accord. Je ne suis plus très loin de la sortie, j'y serai dans quelques minutes.

Jarvis raccroche, appuie sur la touche *off* et reporte le portable à son oreille. Mais dans son empressement, elle a appuyé deux fois sur la touche, coupant ainsi la ligne au nez de son nouvel interlocuteur, avant même que celui-ci n'ait eu le temps de s'annoncer.

— Zut ! s'écrie-t-elle, en levant les yeux vers la camionnette qui se met à reculer à vive allure, en zigzaguant sur l'accotement.

Elle reporte le portable à son oreille. La camionnette recule toujours, malgré le gravier qui rend la conduite instable et dangereuse. Elle peut maintenant voir le visage du chauffeur à travers la lunette arrière qui couvre toute la superficie de l'habitacle. Il la regarde droit dans les yeux. Le véhicule s'immobilise enfin à une vingtaine de mètres de sa voiture. Le chauffeur sort en claquant la porte et se rue vers elle.

— Excusez-moi, articule-t-elle en exagérant le mouvement de ses lèvres pour qu'il puisse y lire à distance.

Mais l'homme avance toujours d'un air inquiétant. Jarvis dépose son portable sur le tableau de bord et fouille fébrilement dans son sac à main. Elle sort son insigne du FBI et le colle sur le pare-brise. L'individu s'immobilise aussitôt.

— *Tu ris moins là,* se dit Jarvis en se penchant pour fouiller de nouveau dans son sac, à la recherche de son calepin. Elle l'attrape et relève la tête. À sa grande surprise, l'homme s'avance de nouveau vers elle, d'un air de plus en plus menaçant. Jarvis baisse sa vitre et tend le bras à l'extérieur du véhicule en brandissant sa plaque, pensant qu'il n'a pas dû la voir distinctement à travers le pare-brise qui reflète les rayons du soleil.

— FBI ! crie-t-elle en tournant les feuilles de son calepin, à la recherche du numéro de Rockwell.

Elle tombe pile dessus, dépose le carnet ouvert sur ses genoux et reprend son portable sur le tableau de bord. Puis elle lève les yeux sur l'homme qui s'est immobilisé à quinze mètres d'elle. À l'aide de son pouce, elle compose rapidement le numéro et place le téléphone sur son oreille.

— Répondez ! Répondez ! crie la policière, les yeux rivés sur l'individu.

*

* *

Le téléphone se met à sonner sur la table de l'ordinateur dans le petit bureau, à deux pas du salon.

— Vous ne répondez pas ? demande Neumann en se retournant.

— Ne vous retournez pas ! Ça peut sûrement attendre, l'avertit Rockwell en armant son pistolet.

*

* *

Subitement, l'individu reprend son assaut. Jarvis balance son portable, sort de sa voiture et se dresse sur le gravier, en plein dans la trajectoire de l'homme qui n'est plus qu'à quelques mètres d'elle.

— Monsieur, excusez-moi pour la manœuvre que j'ai exécutée tout à l'heure, je regrette sincèrement le tort que cela a pu vous causer. Veuillez regagner votre véhicule, s'il vous plaît, lui demande-t-elle, sa plaque du FBI bien en évidence.

À la vue de la jeune femme blonde en jupe et escarpins roses, son opposant est plus émoustillé que jamais et fait la sourde oreille.

— Je suis un agent du FBI en opération policière. Veuillez remonter immédiatement dans votre véhicule !

L'assaillant n'est plus qu'à quelques pas d'elle. À bout de nerfs, Jarvis lance sa plaque dans la voiture, sort son revolver de l'étui, l'arme et le pointe vers sa poitrine.

— Hé ! Mains en l'air ! Stop ou je tire !

Soudainement envahi par la peur, l'homme s'arrête et lève les mains.

— Reculez ! ordonne Jarvis.

L'homme s'exécute aussitôt. Puis il fait demi-tour, court vers sa camionnette et démarre sans demander son reste. Soulagée, Jarvis baisse son arme. Elle se met à trembler et respire bruyamment. Elle s'accorde quelques secondes de répit, rengaine son revolver, réintègre son véhicule et reprend son portable : il n'émet plus aucune tonalité. Elle appuie sur la touche *recomposition*.

— Répondez ! Répondez !

*

* *

Le téléphone résonne de plus belle chez les Rockwell.

— Pourquoi me pointez-vous avec votre arme ? Je n'avais pas l'intention de vous voler cette dague, se défend Neumann.

Son pistolet toujours braqué vers le dos de son visiteur, Rockwell ne répond pas, préoccupé par la suite. Le regard de Neumann s'arrête alors sur un ange tout blanc au ravissant sourire qui avoisine le *Penseur* de Rodin sur le manteau de cheminée.

— Vous savez ce qu'on dit sur les anges ? Apparemment, ils ne pleurent jamais... sauf lorsqu'ils pensent à la condition humaine. Alors là, ils éclatent en sanglots. C'est vous qui avez tué cette pauvre Amy, votre propre fille, accuse Neumann, formel.

— Quoi ! Qu'est-ce que vous racontez ? Tournez-vous, prenez vos affaires et fichez-moi le camp d'ici !

Neumann se retourne doucement et les deux hommes s'affrontent du regard. Avec son arme, Rockwell fait signe à Neumann d'avancer. Celui-ci passe lentement devant Rockwell, lui lance un dernier regard et se dirige vers le hall d'entrée. Rockwell baisse son pistolet, pensif. Puis, sans crier gare, il braque de nouveau son arme vers Neumann.

— Attendez ! Levez les mains !

Neumann s'immobilise aussitôt. Rockwell se dirige vers le manteau de cheminée en ne le quittant pas des yeux et saisit la dague.

— Vous n'auriez pas dû me lancer ce dernier regard avec vos grands airs suffisants, espèce de sale con ! Vous ne me lâcherez plus, n'est-ce pas ? Tournez-vous !

Il dévisage alors Neumann en se lissant nerveusement les cheveux avec la main qui tient la dague.

— Comment pouvez-vous affirmer que c'est moi qui l'ai tuée ?

Neumann ne répond pas. Il remarque alors une croix en or qui pend au cou de Rockwell.

— D'aucuns croient que Jésus est mort crucifié parce qu'il était le Fils de l'Homme, d'autres pour avoir défendu ses convictions personnelles. En vérité, Jésus est mort crucifié parce que des soldats romains l'ont cloué sur une croix.

Rockwell tire à l'aveuglette et Neumann s'écroule lourdement sur le sol.

— Personne ne blasphème ni ne rit de Notre-Seigneur Jésus-Christ dans cette demeure ! vocifère le propriétaire des lieux, offusqué.

Il passe son arme à feu dans sa main gauche et se signe de la droite.

*

* *

Sur l'autoroute 95 Sud, Seward bifurque vers la sortie de Fredericksburg. Il s'engage résolument dans la bretelle et emprunte l'artère principale de la petite localité. Impulsivement, il tourne à droite à la première rue qu'il croise, mais il réalise très vite qu'il devra demander son chemin. Il relâche l'accélérateur, longe lentement la première maison mobile d'un parc clôturé et scrute les alentours, à la recherche d'un bon samaritain. Mais il n'y a pas âme qui vive, pas même une voiture de patrouille. Agacé, il lève les yeux et aperçoit un drapeau américain tout effiloché qui s'agite mollement, le vent se faisant plutôt calme par cette belle journée d'automne. Il attrape son portable, quand son regard est attiré par la fenêtre arrière de la première roulotte. Une main d'homme soulève un coin du rideau et retire une pancarte sur laquelle est inscrit *À louer.*

Soudain, Seward entend un bruit sourd à l'avant de sa voiture. Il sursaute, freine et tourne la tête en direction du bruit, sans pour autant en déceler l'origine.

— Nom de Dieu ! s'exclame-t-il en lâchant le portable qui atterrit entre ses jambes.

Il bondit hors du véhicule quand il voit apparaître de l'autre côté de la route une petite fille d'à peine cinq ans qui s'arrête sur le gravier, les bras ballants. La fillette éclate en sanglots en fixant le devant de la voiture. Craignant le pire, Seward est subitement pris de vertiges et son champ de vision se rétrécit. S'appuyant d'une main sur le capot, il se penche et inspecte le dessous de la voiture. Un ballon multicolore est aplati sous le moteur. Soulagé, il y plonge le bras et sort le jouet éventré. Il se retourne vers la fillette et le lui tend. L'enfant est inconsolable et le jette par terre.

— Arrête de pleurer, Petite. Ton ballon vaut dans les deux dollars, en voilà dix. Avec ça, tu pourras t'en acheter un plus gros et t'offrir des friandises en prime.

La gamine sèche ses pleurs et s'empare du billet de dix dollars.

— Tu me montres comme tu es forte ? Serre le poing comme ça, lui demande Seward en donnant l'exemple.

La petite serre bien fort le billet dans sa menotte potelée.

— Oh ! Tu es très forte, l'encourage Seward.

Il entend son portable sonner dans la voiture dont il a laissé la portière ouverte. Il se retourne, puis regarde de nouveau la petite fille.

— Va vite voir tes parents et donne-leur l'argent ! Attends !

Seward attrape le vieux ballon, sort un stylo de son veston et y inscrit : *J'ai crevé le ballon de votre petite fille sous ma voiture. Excusez-moi, voici dix dollars pour en acheter un autre. Simon Seward, FBI.* Puis il le redonne à l'enfant.

— Tu sais où tu habites ?

La petite hoche la tête et pointe un index douteux vers une maison à l'autre bout de la rue.

— Bon, alors vas-y vite, dit Seward en lui passant la main sur la tête.

La petite part en courant, le jouet dans une main et le billet de dix dollars dans l'autre toujours bien serrée. Seward file vers sa voiture. Il aperçoit un petit bosquet, juste devant la maison mobile. Derrière, une voiture grise d'une dizaine d'années y est garée. Il attrape le portable sur son siège.

— Agent Seward, lance-t-il en contemplant les rideaux fermés de la maison mobile.

— Simon, Brown vient de m'informer que l'homme qui s'est fait passer pour Lowen a décidé de passer à table. Il a raconté que Lowen lui avait dit qu'il avait un rendez-vous très important à dix-neuf heures précises dans le parc Druid Hill à Baltimore, rapporte Jarvis dans un seul souffle en roulant à tombeau ouvert sur l'autoroute 95, cette fois en direction sud.

— Druid Hill, mais c'est là où on a retrouvé le cadavre de la fillette de Rockwell ?

— C'est exact.

— Est-ce qu'il a dit avec qui Lowen avait rendez-vous ?

— Non. Apparemment, il n'en sait rien.

— Une minute. Qu'est-ce qui nous garantit qu'il ne nous mène pas en bateau, et qui est cet homme ? demande Seward, les yeux toujours rivés sur la maison mobile.

— Brown a vérifié et il n'a aucun casier judiciaire. Ce serait un ami d'enfance de Lowen et il paraît qu'il lui ressemble à s'y méprendre... Il a raconté à Brown que Lowen lui avait dit qu'il pouvait garder sa camionnette, puisqu'il avait l'intention de louer une voiture. Les policiers de la ville ont informé Brown que Baltimobile est l'établissement de location le plus près de chez lui. Ils ont vérifié et il a effectivement loué une voiture à cet endroit.

— On connaît le modèle ?

— Une berline, une Chevrolet Malibu rouge vif de l'année, à quatre portes.

Seward ne peut s'empêcher de scruter le parc. Il examine la voiture garée bien à l'abri derrière le bosquet. Il s'agit d'une vieille Thunderbird grise deux portes. Il secoue la tête et remonte à bord de son véhicule.

Jarvis double une voiture par la droite.

— J'ai aussi reçu un appel de Jamison. Inutile de te dire qu'il était dans tous ses états. Il m'a donné de nouvelles instructions. Il croit fermement que le rendez-vous de Lowen à dix-neuf heures est un piège que Neumann lui a tendu… L'idée l'allume vraiment. Il prépare un plan d'intervention et déploie tout son effectif au parc pour coincer Neumann. Il n'est pas question pour lui de le rater une seconde fois…

— Tu dois y aller aussi ?

— … Jamison est persuadé que Lowen va récidiver. C'est classique et tout le monde s'entend là-dessus. Mais, bien qu'avec ce genre de cinglé on puisse s'attendre à tout, Jamison ne croit pas du tout Lowen assez fou pour s'en prendre à Karen, celle qui vient tout juste de témoigner contre lui, d'autant plus qu'il a été acquitté. À bien y penser, il n'a peut-être pas tort. Cependant, ne voulant rien laisser au hasard, il m'a demandé de m'assurer que la fillette allait bien. Quand je lui ai dit que j'avais déjà tenté sans succès de joindre le père au téléphone et que j'avais pris l'initiative de me diriger chez lui, il n'a rien dit sur le coup. Il est sur les dents et il tente de joindre Castelli depuis un moment. Mais celui-ci ne répond pas et personne ne sait où il se trouve. Je l'ai informé que Brown m'avait dit que Castelli rentrait chez lui. Il m'a répondu qu'il avait déjà essayé à son domicile, mais que ça ne répondait pas là non plus. Puis il m'a ordonné de rester chez les Rockwell jusqu'à nouvel ordre. En fait, je crois qu'il n'était pas trop content de mon initiative, et encore moins de mon rapport sur la fusillade d'avant-hier soir sur les terres de Neumann. Et comme si ce n'était pas assez, je lui avais raccroché au nez par inadvertance quelques minutes auparavant. Je parie que, pour me punir, il va me laisser faire le chien de garde chez Rockwell jusqu'à ce qu'il ait coffré Neumann, Lowen, ou les deux.

— Indique-moi la route pour me rendre chez Rockwell, demande Seward en bouclant à toute vitesse sa ceinture de sécurité.

— Où es-tu ?

— À Fredericksburg, devant un parc de maisons mobiles.

— Ouais, d'accord, tu es tout près. Tu continues tout droit. Ensuite, tu prends à gauche, puis la première à droite et c'est là, à une dizaine de maisons. Je vais te rejoindre dans une quarantaine de minutes. Rappelle-moi dès que tu arriveras sur les lieux.

— C'est bon, j'y vais ! répond fébrilement Seward en appuyant sur l'accélérateur.

Le fougueux agent fait crisser ses pneus, semant caoutchouc et fumée noire derrière lui. Alerté, Lowen tire le rideau de la cuisine, passe la tête dans l'ouverture et voit la voiture filer devant lui. Il referme lentement le rideau, le manche du couteau bien serré dans sa main.

*
* *

Atteint au tibia, Neumann est étendu par terre, le visage contracté par la douleur.

— Alors, j'attends ! crie Rockwell, le pistolet pointé vers Neumann.

— Ce n'était qu'une simple parabole pour vous faire comprendre que je me suis fié à l'évidence. Je m'en doutais, mais je n'étais sûr de rien du tout en arrivant ici… Mais, d'entrée de jeu, vous avez dit que votre fille était partie s'acheter des bonbons avec une amie.

— Et alors ?

— Une personne qui aime un tant soit peu son enfant ne le laisse pas sortir seul, alors que le meurtrier de sa sœur vient d'être libéré.

— C'est tout ? lance Rockwell en souriant.

— Vous n'avez pas regardé une seule fois par la fenêtre, vous n'avez pas non plus consulté votre montre ni manifesté le moindre signe d'inquiétude. Vous n'avez même pas prononcé son nom, alors que je vous entretenais de choses et d'autres, dont du meurtrier de sa sœur qui court toujours. Vous étiez plus convaincant dans votre rôle de pleureuse au tribunal, se moque Neumann en grimaçant de douleur.

Le sourire de Rockwell tombe aussitôt.

— Avancez, ordonne-t-il les dents serrées, en pointant le couloir avec son pistolet.

Neumann se redresse péniblement et avance en claudiquant. Rockwell le suit de loin, toujours en position de tir.

— Plus vite !

Neumann se dirige vers la cuisine.

— Arrête-toi là et ouvre cette porte.

Neumann ouvre la porte, dévoilant ainsi un escalier de bois qui descend vers l'obscurité.

— Allume.

Neumann obéit. Un plafonnier illumine une cave déjà légèrement éclairée par la lumière du jour qui se faufile à travers de petites fenêtres.

— Descends.

Neumann s'exécute en geignant, s'arrête au pied de l'escalier et s'appuie sur la rampe.

— Colle-toi contre le poteau du centre et tourne-toi, ordonne Rockwell du haut de l'escalier.

L'homme dévale les marches, court vers la première fenêtre, baisse le store, se rend à la seconde et fait de même.

— On sera plus tranquille comme ça.

Il s'avance jusqu'à l'établi, dépose la dague et fouille dans une boîte de carton.

— Si vous aviez vu la tête de sa mère au cimetière, ce qu'elle pouvait chialer. Elle hurlait de douleur, cette salope. Juste pour voir ça, ça en a vraiment valu la peine. Ils n'ont pas l'air de trop vous porter dans leur cœur au FBI. Remarquez bien que je les comprends, votre gueule ne me revient pas non plus. Dès que j'ai vu votre photo, j'ai su que vous étiez un pauvre con, Monsieur-je-suis-psy.

Rockwell se met à rire.

— Depuis que cette salope m'a quitté, j'ai un droit de visite limité à un week-end par mois. Je savais que, si je ne me débarrassais pas des deux filles en même temps, je serais dans la merde. Mais il a fallu qu'une copine d'Amy passe par là avec sa conasse de mère, alors que je venais à peine de lui régler son cas dans les buissons. La petite ne voulait pas partir sans l'avoir vue, et sa vieille pute de mère non plus. J'étais certain que j'étais foutu. J'ai alors attrapé Karen par la main, je l'ai regardée droit dans les yeux et je lui ai demandé si elle savait où était sa petite sœur. Par bonheur, elle s'est mise à brailler sans répondre. J'ai alors dit à la vieille pute qu'on était tranquillement en train de pique-niquer tous les trois, que j'étais parti pisser pendant que les filles jouaient au ballon, qu'à mon retour Amy n'était plus là, et que j'allais de ce pas alerter la police. Quand les policiers sont arrivés, Karen a raconté exactement la même histoire que moi à un détail près : elle leur a dit que, lorsque j'étais parti pisser, un homme était venu leur parler. Je n'en croyais pas mes oreilles. Bon sang ! Vous imaginez, j'étais parti à peine cinq minutes pour explorer les lieux et je n'étais même pas au courant qu'elles avaient parlé à ce type. Ce pauvre con de pédophile désaxé de Chris Lowen ne pouvait pas mieux tomber. Les policiers lui ont tout de suite fait porter le chapeau. Je sais pas trop pourquoi, mais cette débile de Karen n'a jamais révélé qu'après que je sois allé pisser, j'étais retourné aux toilettes avec Amy et que j'en étais revenu seul. Mais cette chance ne durera pas éternellement : elle finira sûrement par bavasser quelque chose à sa salope de mère. Si la copine d'Amy et son idiote de mère ne s'étaient pas pointées, tout ça serait fini depuis longtemps et je serais déjà loin, libre comme l'air. Mais vous, c'est le ciel qui vous envoie. Vous allez me faciliter les choses… Vous allez peut-être même devenir une véritable vedette porno et me rapporter un peu d'argent. Il paraît que, dans leur regard d'enfant, elles ne comprennent rien de ce qui se passe et, parfois, elles ont un regard de femme : on pourrait même croire qu'elles ont du plaisir. C'est excitant, non ? C'est ce qu'on va voir. Une fois, j'ai regardé une de ces vidéos. J'ai trouvé ça vraiment dégueulasse, mais au bout d'un moment, j'aurais aimé qu'il filme le regard de la fillette, par curiosité, pour me faire une idée. Ce n'est pas vraiment mon truc, mais autant en profiter. Je vais peut-être même en envoyer une copie à sa salope de mère juste pour voir sa tronche et l'entendre beugler en se plaignant à la police. J'espère qu'elle va en crever.

Rockwell s'empare d'un rouleau de corde de nylon, mais celle-ci est emmêlée dans un tas d'outils empilés. Il commence à la démêler quand Neumann, qui a feint jusqu'à maintenant d'être incapable de se déplacer rapidement, bondit sur lui en hurlant. Rockwell n'a pas le temps de réagir et Neumann lui saisit la main qui tient le pistolet. Avec son rouleau de corde, Rockwell assène un coup sur la tête de Neumann. Ce dernier réplique d'un direct sur le menton de Rockwell, puis le saisit à la gorge et lui décoche un coup de genou dans les parties. Rockwell grimace, lâche le rouleau et envoie un crochet sur l'oreille de Neumann qui rougit aussitôt. Contre toute attente, Neumann relâche sa prise. Un coup de feu éclate.

*

* *

Jarvis est toujours sur l'autoroute 95 Sud. Son portable sonne.

— Jarvis, j'écoute !

— Je ne suis plus qu'à quelques maisons de chez Rockwell, relate Seward en dépassant la berline de courtoisie de Neumann sans y prêter attention. Voilà, je suis juste devant, poursuit-il en vérifiant le numéro sur le haut de la porte. Il n'y a rien à signaler. C'est calme, très calme même. Il y a une voiture dans l'entrée, c'est tout. Il n’y a ni Caprice classique, ni Malibu rouge dans le coin, commente-t-il, un peu déçu.

Il sort de son véhicule, se dirige vers la maison et appuie sur la sonnette.

— Ça ne répond pas.

Il redescend sur le gazon et regarde à travers la fenêtre du salon, mais les reflets du soleil l’empêchent de voir à l’intérieur. Il plisse les yeux et utilise sa main comme pare-soleil.

— J’ai le nez collé à la fenêtre du salon et il n’y a vraiment rien de particulier à signaler.

— Tu fais le tour de la maison ?

— Ouais ! Je me dirige vers la cour arrière.

Seward longe le mur de côté et passe devant la première fenêtre du sous-sol.

*
* *

Neumann donne un coup de tête en plein sur le nez de Rockwell ; le sang se met à gicler. Rockwell s’écroule, emportant Neumann avec lui. Les deux hommes roulent sur le béton. Rockwell dégage de nouveau son bras gauche et assène un coup de poing, puis un deuxième sur l’oreille de Neumann qui se met cette fois à saigner.

*
* *

Seward s’arrête un moment et voit que la porte-fenêtre est entrouverte.

— Il y a quelqu'un?

Mais il n'obtient aucune réponse.

— Il n'y a pas âme qui vive, Nicole.

Il glisse sa main dans la poche de son pantalon et regagne lentement la porte principale.

— Je vais retourner frapper à la grande porte. S'il n'y a toujours pas de réponse, je vais t'attendre bien sagement dans ma voiture.

— C'est bien. Je te rejoins dans moins d'une demi-heure, répond Jarvis, rassurée.

— D'accord, à tout de suite.

Seward raccroche, enfonce son portable dans la poche de son pantalon et monte sur le perron. Un coup de feu retentit dans la maison. Il s'accroupit, dégaine son arme et tourne fiévreusement la poignée. La porte s'ouvre aussitôt devant lui.

20

Dans la maison de Rockwell...

— FBI ! hurle Seward en pénétrant dans le hall.

Un autre coup de feu éclate. Seward se précipite vers l'escalier avec un tel fracas que, de la cave, on peut suivre sa course aux vibrations du plafond. Arrivé au coin du chambranle, il s'accroupit, dos au mur. Le cœur martelant sa poitrine, il jette un coup d'œil dans la cave et aperçoit de dos un homme qui en traîne un second sur le sol. Il prend une grande inspiration et avance sur le palier, en position de tir.

— FBI ! Plus un geste ! hurle-t-il en pointant son arme sur l'homme qui pivote aussitôt vers lui en levant ses deux mains ensanglantées. Jetez votre arme ! ordonne-t-il, surpris de reconnaître Neumann. Jetez votre arme !

— Ne tirez pas ! crie Neumann qui reconnaît à son tour l'agent qu'il a sauvé deux jours plus tôt.

— Jetez votre arme ! répète Seward pour la troisième fois.

Neumann baisse lentement sa main et lance le pistolet devant lui.

— Êtes-vous seul ? demande Seward.

— Oui, je suis seul, répond calmement Neumann, reprenant peu à peu son souffle.

Seward pointe l'homme qui gît au sol.

— Est-il mort ?

— Je ne sais pas. Vous voulez que je vérifie ? lui offre Neumann en faisant mine de se pencher vers le corps.

— Non, ne bougez pas !

— Une chose est sûre, c'est que si vous ne faites rien pour lui, et vite, ce pauvre type ne s'en sortira pas.

— Reculez lentement !

Neumann fait trois pas en arrière. Seward descend quelques marches pour mieux voir l'homme au sol. Il aperçoit alors clairement sa tête qui baigne dans une mare de sang.

— Vous lui avez fait sauter la cervelle !

— De ce que j'en sais, elle ne lui servait pas à grand-chose, Agent Seward. Dommage que vous soyez arrivé à l'improviste, car je me disais justement que j'aurais pu utiliser son corps comme une marionnette somme toute assez crédible pour la faire paraître vivante devant la fenêtre du salon… du moins pour un temps.

— Tournez-vous et mettez-vous à genoux, les deux mains sur la tête !

— Baissez votre arme, Agent Seward, je me rends. Vous avez fière allure. Je suis très heureux de vous avoir sauvé la vie l'autre soir. Ce cinglé vous aurait tué sans hésiter. Content que vous vous en soyez tiré en un seul morceau, répond Neumann en se retournant.

Puis, sans crier gare, il fait volte-face et bondit sur le pistolet qu'il a jeté au sol. Seward réplique d'un coup de feu. Neumann roule sur le sol et fait feu à son tour en direction de l'escalier.

Seward remonte à toute vitesse et file se couvrir derrière la porte. Neumann court se mettre à l'abri derrière l'établi. Ne voyant plus Seward en haut de l'escalier, il le renverse et le fait glisser jusqu'au bas des marches, se constituant ainsi un observatoire sur l'étage. Derrière le mur, Seward reprend son souffle en essayant d'interpréter le tapage que fait Neumann.

— Vous m'avez bien eu, Professeur! *Quelle est la seule et unique chose que l'Homme arrive à faire qu'aucun autre animal n'a réussi à ce jour*? Faire un mensonge! Mentir, c'est bien ça?

Neumann ne répond pas.

— J'ai été surpris par votre histoire de marionnette. Vous m'avez bien eu! Vous vous voyez vous trimbaler avec un cadavre de 80 kg? Ce fut habile comme tactique, mais vous auriez pu vous faire tuer. De plus, vous avez pointé votre arme vers les marches du bas. Je ne crois pas que vous aviez l'intention de m'atteindre. Du moins, si vous vous rendez maintenant, c'est ce que je raconterai. Qu'en dites-vous? propose Seward en sortant son portable de la poche de son pantalon.

Neumann tire trois coups de feu qui font voler en éclats le cadre de la porte, à quelques centimètres du nez de Seward. Ce dernier renfonce aussitôt son portable dans sa poche, ferme les yeux et tourne la tête pour éviter les éclats de bois. Neumann, qui a vidé le chargeur du 45 de Rockwell, grimpe l'escalier à pas feutrés. Seward avance légèrement la tête en pointant son arme. Neumann attrape le poignet de son adversaire et presse la dague sous sa gorge. Seward se retrouve la tête coincée entre le mur et la lame.

— Lâchez votre arme !

Seward s'exécute aussitôt et Neumann ramasse le revolver.

— Si j'avais voulu vous tuer, Agent Seward, j'aurais laissé le dingue le faire à ma place l'autre soir.

Seward se contorsionne pour se dégager de la prise, mais Neumann appuie de plus belle la lame contre sa gorge.

— Ne tentez quand même pas trop votre chance. Si vous me résistez, je n'hésiterai pas à vous trancher la gorge de part en part, croyez-moi.

Neumann retire la dague et la glisse dans la poche arrière de son pantalon, tout en pointant Seward avec sa propre arme. Ce dernier se redresse lentement le long du mur sous le regard soutenu de Neumann qui poursuit.

— Alors qu'à l'origine, l'homme choisissait ses compagnons d'après leurs comportements, l'apparition de la parole a permis à des individus sans scrupules de s'attirer les bonnes grâces d'honnêtes gens par leur seul discours, sans jamais accomplir le moindre geste instinctif. Dans notre culture, *mentir*..., ou devrais-je plutôt dire *ne pas dire la vérité*, est considéré comme un art qui anoblit les plus fortunés. Mentir, ce n'est pas très édifiant pour l'espèce qui s'est autoproclamée au-dessus de toutes les autres formes de vie, n'est-ce pas ? Bravo ! Votre réponse est excellente, bien qu'en fait, il n'y ait ni bonne ni mauvaise réponse. Car tous les comportements humains, aussi dégénérés soient-ils, sont d'origine instinctive, donc potentiellement présents chez les autres espèces. C'est à nous de découvrir la source primitive d'un comportement pour en corriger sa déviance. En fait, ce petit test de rien du tout sert à évaluer le niveau d'autocritique dont vous êtes capable. La plupart des gens répondent d'entrée de jeu *Se tenir debout*, puis essaient ensuite *Parler* ou *Penser*. Vous m'impressionnez, Agent Seward. Vous n'êtes pas aussi vaniteux que la plupart des individus de notre espèce. Les animaux ne sont pas meilleurs que nous parce qu'ils sont incapables d'élaborer des mensonges sordides. Ils le sont parce qu'ils savent soumettre leurs capacités et leurs spécificités à la réalité de la nature, sans en abuser. Bien qu'il soit capable de décimer un troupeau de chevreuils, le loup ne le fera pas, alors que l'Homme... *Ne pas respecter la nature, sa propre nature* serait probablement la réponse la plus juste qu'on pourrait énoncer. Vous savez, pour réussir à détruire petit à petit la planète qui vous a mis au monde, il faut forcément posséder une caractéristique assez exceptionnelle, ironise Neumann. Malheureusement, cette spécificité n'est pas très reluisante pour l'espèce qui la possède. Si d'autres formes de vie viennent à étudier notre planète un jour, après notre extinction, force leur sera de constater que la seule espèce responsable de la destruction de la vie sur cette planète aura été la nôtre. L'intelligence de l'Homme est vraiment surfaite. Mais votre réponse n'était pas mal du tout, je vous donne un neuf sur dix. Levez-vous maintenant.

Neumann fouille les poches de Seward et en sort clefs et menottes, puis il lui fait signe de descendre au sous-sol.

— Collez-vous contre ce poteau.

Seward enjambe le corps de Rockwell et s'exécute. Neumann lui attache les mains autour du poteau d'acier central qui soutient la maison pendant que Seward examine le cadavre. Soudain, il frappe avec colère contre le poteau les menottes qui le retiennent prisonnier. Neumann bondit vers l'escalier et grimpe les marches deux à deux.

— Tuer Lowen et toutes ces merdes, c'est ça votre vraie nature ! lui balance Seward, furieux.

Neumann s'immobilise au beau milieu de l'escalier et se retourne vers le prisonnier.

— L'encéphalopathie de Korsakoff ou syndrome amnésique alcoolique est un trouble important de la mémoire accompagné de fabulation, souvent dû à un alcoolisme chronique. J'étais certain que vous en arriveriez à cette conclusion au FBI. Sous l'effet de l'alcool, les gens font parfois des choses qu'ils regrettent amèrement plus tard. Cependant, cela n'excuse en rien leur comportement. L'alcool n'est qu'un *désinhibiteur*. Il vous permet de révéler vos volontés inconscientes, pas de les créer. Chris Lowen a, certes, déjà été alcoolique, mais il a cessé de boire, ce qui est tout à son honneur… et, qui plus est, il n'a jamais souffert du moindre syndrome, termine Neumann qui reprend aussitôt son escalade vers le premier étage.

— Quoi ? s'écrie Seward.

Neumann s'arrête de nouveau et se tourne vers lui.

— Lowen n'a fait qu'être au mauvais endroit au mauvais moment… c'est l'histoire de sa vie ! Vous n'avez donc rien compris, Agent Seward ? Le meurtrier de la fillette n'est pas Chris Lowen. Chris Lowen n'est pas plus pédophile qu'Elvis est vivant.

— Quoi ?

Neumann dévisage son prisonnier et redescend l'escalier aussi vite qu'il l'a grimpé. Il fait retomber l'établi sur ses pattes et inspecte le contenu de la cave dans tous les recoins.

— La façon de voir la vie des uns rend parfois la réalité des autres plus insoutenable encore qu'elle ne devrait l'être. Chris Lowen s'est emprisonné lui-même dans une fantasmatique exacerbée qui l'a mené droit en enfer.

— Quoi ? mais qu'est-ce que vous racontez ? rétorque Seward qui en perd son latin.

— Chris Lowen ne souffre pas de l'encéphalopathie de Korsakoff. En fait, il souffre d'une forme rare de la névrose mythomaniaque qui s'exprime par de la fabulation accusatoire. Le sujet, dans un comportement des plus autodestructeurs, se confesse d'un crime qu'il n'a pas commis, pour en cacher un autre qu'il estime beaucoup plus grave et qu'il se sent incapable de révéler, bien qu'en fait, ce n'en soit pas un. Sa vie ne fut qu'une suite incroyable d'erreurs judiciaires, Agent Seward. Depuis l'âge de douze ans, Lowen fréquente un ami de même taille et de même poids qui a adopté une coiffure et des vêtements quasi identiques aux siens.

Bien que son homosexualité n'ait toujours été qu'un secret de Polichinelle, c'est le genre de chose qu'il vaut mieux taire quand, comme lui, on vient au monde dans un village où la Bible fait encore office de référence scientifique. Il a donc choisi de s'abstenir pour ne pas avoir à affronter les foudres de ses camarades d'école et, surtout, le regard méprisant de son père. Mais ce petit secret lui aura coûté très cher. L'appropriation de fantasmes sexuels et meurtriers de désaxés fut sa façon pour le moins hors du commun de sublimer ses désirs homosexuels de plus en plus grandissants. De là à s'autopunir en s'incriminant d'actes sordides qu'il n'a pas commis, il n'y avait qu'un pas à franchir. Bien qu'il lui eût été préférable d'opter pour le style de vie en accord avec ses désirs, il préféra la prison aux aveux. Ce fut pour lui une forme de fustigation pour purifier son âme… et, croyez-moi, ses petits compagnons de cellule se sont chargés de lui en donner pour son argent. La vie de Lowen n'est en fait que la triste histoire d'un mal-aimé qui a mal tourné. Notre pays en produit plus que sa part, vous savez.

— Mais Lowen suit toujours une thérapie. Comment se fait-il que son thérapeute actuel n'ait pas expliqué tout cela à la Cour ?

— Lowen a en effet trouvé un autre thérapeute, car il souffre encore d'épisodes de fabulation au cours desquels il s'impute des comportements sexuels pour le moins atypiques. Mais ce thérapeute n'est pas au fait de sa mythomanie. Il lui sert de soupape pour passer à travers ses crises, et c'est très bien comme cela. Très vite, Lowen n'en aura plus besoin, croyez-moi sur parole. Il abandonnera sa thérapie sans même l'avertir. Ce jour-là, il fera rouvrir le dossier pour lequel il fut condamné à tort en 1988 pour l'agression sexuelle et le meurtre d'une fillette d'à peine six ans, alors qu'il n'était lui-même qu'un frêle adolescent de quatorze ans désemparé et sans ressource, afin que le ou les vrais criminels répondent enfin de leurs actes devant la justice.

— Alors, qui c'est celui-là ? s'inquiète Seward en pointant de la tête le cadavre qui gît à ses pieds.

— Oh ! mais c'est le père de la défunte.

— Quoi ! Vous avez tué Rockwell ?

— Vous me semblez avoir raté quelques épisodes, Agent Seward, répond Neumann en approchant son visage de celui du jeune policier, agacé par sa naïveté. *Cui bono* ? À qui profite le crime ? On ne vous a pas appris à l'Académie du FBI que 1 % seulement des enfants kidnappés le sont par un inconnu et que trois enfants par jour sont tués par leurs propres parents ? Bienvenue sur Terre ! Dites-moi qui sont vos parents et je vous dirai ce que vous deviendrez ! Les enfants n'ont pas besoin d'aller dans les bois ou de fréquenter les coins sombres pour croiser l'ogre. Notre système permet le service à domicile. Le droit d'avoir des enfants est un droit inaliénable. Les plus désaxés d'entre nous peuvent donc se payer le luxe de mettre au monde autant d'enfants qu'ils le souhaitent et rien n'oblige les parents à leur procurer tout ce dont ils ont besoin pour développer leur plein potentiel.

— Mais, tous ceux qui ont assisté au procès vous diront que Karen avait l'air fort traumatisée en présence de Lowen. S'il n'a pas tué sa sœur, pourquoi avait-elle si peur de lui ? s'enflamme Seward.

— Il s'agit d'une réaction anxieuse consécutive à un choc émotionnel, d'une crainte déraisonnable à l'égard d'une personne inoffensive... bref, d'une névrose phobique post-traumatique. Le sujet, en l'occurrence la petite Karen, canalise son angoisse, refoule sa peur et la déplace sur un individu sans danger, ici Chris Lowen : ainsi elle peut continuer à côtoyer une personne qui provoque une peur réelle et dont elle ne peut se soustraire, se sentant incapable de l'affronter, en l'occurrence son propre père.

Une étincelle s'allume dans le regard de Seward.

— Un syndrome qui se présente sous sa forme la plus pure, si pure qu'on a peine à y croire : un enfant qui protège ses parents malgré ce qu'ils lui font subir, car il réalise qu'il n'a nulle part où aller et qu'il est forcé d'habiter avec eux et de les aimer. Il est prisonnier de ceux qui l'ont mis au monde, il est leur otage. Le syndrome de Stockholm à sa plus simple expression, à sa source primitive : protéger ses parents quoi qu'ils fassent, quitte à mentir, car ce sont eux qui garantissent notre survie. Ne pas dire la vérité, toute la vérité sur ses parents, se mentir à soi-même. C'est à cela que vous faisiez allusion dans votre charabia psychanalytique pour embrouiller tout le monde lors de votre point de presse devant le palais de justice, n'est-ce pas ?

— Vous avez des hauts et des bas, Agent Seward. C'est plutôt énervant. J'imagine qu'à la longue, on s'habitue, réplique Neumann en levant les sourcils, étonné par la justesse de ses conclusions. Qu'il s'agisse d'une sordide histoire familiale dont une pauvre fillette n'arrive pas à s'affranchir, de contes de fées ou d'écrits telle la Bible, il suffit d'apprendre le B A BA des codes symboliques, de ce charabia psychanalytique comme vous dites, et le tour est joué. Ces récits vous révèleront tous leurs secrets... qu'ils soient grands ou lamentablement décevants... Car, voyez-vous, le problème avec la psychanalyse, ce n'est pas qu'elle soit compliquée, c'est qu'elle révèle l'inacceptable et force celui qui en est instruit à changer sa façon d'agir. Les gens optent donc généralement pour les autres écoles de pensée... La vie est injuste. Alors que certains parents s'arrangent pour que la vie de leur progéniture soit un véritable paradis, d'autres les entraînent droit en enfer dès leur naissance.

— Mais Rockwell n'avait aucun antécédent de violence et n'a jamais battu ses filles. Si tel avait été le cas, on en aurait décelé les marques sur le corps de la petite Amy et son dossier médical en aurait fait état, ou encore quelqu'un aurait porté plainte. Les enquêteurs ont sûrement pensé à vérifier cela. Elle fut dénudée, étouffée et enfouie dans les buissons par un pédophile fêlé qui n'a pas eu le temps de la violer, le relance vivement Seward qui se refuse à admettre les conclusions de Neumann.

— Tout de suite les grands mots ! Le meurtrier n'a pas besoin d'être sordide pour que le meurtre le soit : un simple petit minable fait tout aussi bien l'affaire. Savez-vous quelle est la responsabilité sociale que les hommes détestent le plus assumer ? Payer une pension alimentaire ! Bien peu sont capables de le faire sans sourciller. Non seulement Amy Rockwell était une magnifique petite fille qui fut sauvagement assassinée, mais elle le fut par un beau dimanche ensoleillé, le jour même de l'anniversaire de son père, alors qu'ils festoyaient gaiement en famille dans le parc Druid Hill. Il faut bien avouer qu'il n'en faut pas plus pour tirer les larmes des gens bien intentionnés. Il n'a pas fait les choses à moitié, le cher papa. Il s'est payé un bien beau cadeau d'anniversaire. Un syndrome de Stockholm qui provoque la complicité par omission, une névrose phobique post-traumatique, un désir de Caïn refoulé et un ex-détenu condamné pour pédophilie qui passait malencontreusement par là sont autant de facteurs qui jouaient en faveur de Rockwell et qui offraient tous les ingrédients pour que son horrible meurtre reste impuni à jamais. Il ne lui restait plus qu'à se débarrasser de Karen et il était de nouveau un homme libre, se récrie Neumann avec sarcasme. Et, qui sait, Karen est plutôt jolie. De ce que j'en ai connu, cet homme en aurait peut-être même profité pour se rembourser en nature la pension qu'il versait à son ex-femme depuis des années.

Seward plisse les yeux, l'air dégoûté, ce qui n'échappe pas au regard de Neumann.

— Ne jouez pas les vierges offensées, Agent Seward. Malgré votre jeunesse, vous n'en êtes pas moins un homme. Vous savez très bien de quoi ils sont capables.

— Où est Karen ? Où est-elle ?

— Ne vous en faites pas, elle est en sécurité.

— Où est-elle ?

— Elle est entre de bonnes mains.

— Où est-elle ? insiste Seward.

— Elle est avec Lowen. Il ne lui arrivera rien.

Neumann ramasse le pistolet qu'il a laissé derrière sa barricade, ouvre le barillet et le vide. Seward suit du regard ses moindres faits et gestes.

— Vous auriez très bien pu demander une audience au juge, lors du procès de Lowen, pour empêcher qu'il soit incriminé pour un meurtre qu'il n'a pas commis, mais vous ne l'avez pas fait. Au lieu de cela, vous vous êtes servi de lui pour venir assassiner Rockwell à son insu. Comme ça, si les choses tournaient mal, c'est lui en qui mériterait tout le blâme, l'accuse Seward qui cherche à tout prix à prendre Neumann en défaut.

D'un geste brusque, Neumann rentre le barillet dans le revolver en fixant Seward droit dans les yeux.

— Si je n'ai pas témoigné en faveur de Lowen, c'est qu'il me l'avait interdit. Quelques jours après son arrestation, il a demandé à me rencontrer. Comme toujours, il s'était retrouvé au mauvais endroit au mauvais moment. Il était bouleversé, mais il ne pleurait pas sur son sort : il pleurait sur la victime et sur sa sœur, qui avait pourtant fait un témoignage l'incriminant. Cet homme-là a souffert toute sa vie et, au lieu d'en vouloir à Karen comme l'aurait fait tout être humain normal, il m'a simplement demandé comment il pouvait l'aider. J'étais stupéfait. Bien que le sachant sans la moindre malice, je ne le croyais pas capable d'une telle abnégation pour un enfant. Je lui ai alors demandé jusqu'où il était prêt à aller. Il m'a répondu : jusqu'où il faudra. Je n'avais pas besoin de lui pour m'occuper de ça, mais je n'allais quand même pas le priver d'une chance de révéler sa virilité au moins une fois dans sa vie. Lowen n'était pas encore acquitté que nous avions déjà orchestré l'enlèvement de Karen. Sur ce coup-là, c'est lui qui a pris tous les risques.

— Vous avez fait de lui un complice de meurtre !

— Mais pas du tout, reprend Neumann calmement. Cela m'a permis de monter un guet-apens à Rockwell ; ce que je n'aurais sûrement pas réussi aussi vite tout seul, il est vrai. Mais je n'étais pas du tout certain que c'était Rockwell qui avait tué sa propre fille. J'avais de sérieux doutes, je ne vous le cacherai pas, mais sans plus. Lowen n'a fait qu'éloigner la fillette de la maison pendant que je testais son père. À aucun moment, il n'a su ce qui allait se passer si Rockwell s'avérait être bel et bien le meurtrier d'Amy. D'ailleurs, il ne le sait toujours pas. Il joué sa vie en kidnappant celle qui l'accusait de meurtre. Il disait qu'il était fou et qu'il ne savait pas pourquoi il faisait cela, mais il tenait à tout prix à faire quelque chose pour elle... peut-être parce que, inconsciemment, il aurait aimé que quelqu'un le sorte des griffes de son père quand il était petit. Qu'en pensez-vous, Agent Seward ?

Seward garde en silence. Neumann poursuit.

— Je voulais m'arranger pour que cela ressemble au suicide d'un père désespéré d'avoir perdu une de ses petites filles. Mais maintenant, avec tout ce gâchis... il y a du sang partout. Et avec votre présence, ce sera une thèse difficile à défendre. Mais, j'y pense ! Rockwell n'avait pas l'air vraiment surpris quand il m'a ouvert sa porte. Est-ce vous qui l'avez prévenu ?

— Au bureau, ils ont cru pendant un moment que vous tenteriez peut-être d'entrer en contact avec Karen pour prendre des informations sur Lowen, comme vous l'avez fait l'autre jour au supermarché avec la fillette du sénateur Bighter.

— Je ne l'ai pas vu venir celle-là. Il y a toujours quelque chose qui nous échappe dans la vie. Au fait, comment va le sénateur ?

— Il va bien, il semblerait qu'il va s'en remettre et…

— Dommage, l'interrompt Neumann.

— Que cherchez-vous ? Combien de personnes avez-vous tuées ? s'enflamme Seward.

— Je dirais plusieurs… en parcourant le monde, guidé simplement par mon instinct. Vous croyez que je me balade à travers le pays à la recherche d'une victime sur laquelle je flasherais avant de la tuer, comme vous dites dans votre jargon policier, se moque Neumann. Éliminer les potentats qui possèdent toutes les cartes pour que les choses s'améliorent et qui, non seulement ne font rien, mais abusent et détruisent impunément tout ce que la vie offre de plus beau. Couper la tête du serpent ! Telle est ma devise. Je ne l'ai pas choisie de gaieté de cœur, rassurez-vous ; elle s'est imposée d'elle-même, termine Neumann, déçu de la réaction de son interlocuteur.

— Vous croyez que tuer tous ces gens créera un sens moral dans la collectivité ? Vous croyez que cela poussera le gouvernement à promulguer une loi qui obligera les gens à passer des tests pour obtenir un permis de procréation et ainsi changer le monde, c'est cela ?

— Ce sont des vœux pieux, mais je ne suis pas aussi stupide. Il y a longtemps que je ne crois plus au Père Noël. Cela dit, tout de suite après la thérapie du petit Hans, le couple Graff s'est séparé. Le fils est parti vivre avec le père et la fille, Hanna, avec Olga sa mère. Quelques années plus tard, Hans devint un chef d'orchestre de renom. Quant à sa petite sœur Hanna, elle se suicida... N'aurait-il pas mieux valu que Freud torde le cou à la marâtre, ce n'est pas sa fille qui serait venue s'en plaindre. Lorsqu'un enfant crie à l'aide, l'humain a la fâcheuse tendance à regarder ailleurs, surtout quand il y trouve un petit profit. L'Homme peut parfois se montrer très mesquin. Voilà comment se termine mon enseignement chaque session. Je laisse mes élèves sur cette simple réflexion. Malheureusement, il semble que, cette année, tout le monde se soit donné le mot pour qu'ils ne puissent pas bénéficier de la profonde introspection morale que permet l'étude de cette thérapie.

Seward regarde Neumann droit dans les yeux et le fustige avec colère.

— Notre société laisse une poignée de déséquilibrés anéantir les possibilités évolutives de la collectivité. C'est bien cela que vous enseignez, Professeur ?

— On ne peut pas avancer si l'on n'accepte pas d'éliminer l'obstacle qui nous maintient sur place, relance Neumann, les dents serrées.

— Vous avez toujours réponse à tout.

— Si tel était le cas, je n'en serais pas là... Je n'avais pas l'intention de convoquer les journalistes hier matin, mais vous ne m'en avez pas laissé le choix en venant fouiner sur mes terres avec vos gros sabots. J'ai donc dû improviser ce point de presse pour tenter d'éviter de faire l'objet d'une chasse à l'homme. À l'évidence, cela n'a pas fonctionné. Je savais très bien que tout cela ne pourrait pas durer indéfiniment, mais c'est vous qui avez précipité les choses et, en quelque sorte, choisi la date et l'heure. Cela se termine donc tout de travers... J'avais envisagé quelque chose d'un peu différent et, surtout, dans un avenir beaucoup plus lointain. Mais, tôt ou tard, l'intervention du FBI devait inévitablement survenir, j'imagine.

— Mais quelle sorte d'homme êtes-vous ? Vous auriez pu faire tellement mieux, pourquoi ce gâchis ? Vous avez préféré ruiner votre vie, rétorque Seward, un brin de pitié dans la voix.

Piqué au vif par la conclusion défaitiste de son prisonnier, Neumann le saisit par les revers de son veston et colle son visage à deux centimètres du sien.

— Écrire une déclaration d'indépendance et y inscrire *Mort aux tyrans*, c'est très bien... en théorie. Mais ce n'est que lorsqu'on s'élance sur le roi et son armée en criant *À l'attaque* ! que l'on écrit l'histoire. Vous croyez que je n'ai pas essayé ? Vous croyez que j'ai colligé toutes ces données sur l'être humain simplement pour passer le temps, ou pour donner des tas de conférences rien que pour m'amuser ? Vous croyez que la société évolue comme par magie, Agent Seward ? Qu'il n'y a qu'à claquer des doigts et... abracadabra, tous les problèmes s'envolent ! Que je n'ai qu'à imposer mes mains sur le front des gens pour en extirper tout le mal ! Non ! Les bottes qui marchent au pas cadencé au nom de la raison ne se soucient guère des fleurs qu'elles écrasent. Freud aurait dû intervenir en 1933. Au lieu de cela, il a laissé les nazis brûler tous les livres de psychanalyse sur la place publique. En 1947, Staline bannira la psychanalyse de l'URSS, la qualifiant de subversive. Dès qu'un homme veut en asservir un autre, tous les concepts de l'analyse de la psyché volent en éclats. Notre société oligarchique avec sa caste de privilégiés ultra riches, est-ce naturel ? Non ! Les biens nantis exploitent ceux qui sont nés pauvres. Comprendre que nos sociétés ont toujours encouragé ce genre de comportement psychopathique, voilà la clef ! C'est elle qui ouvrira la porte du paradis pour l'Homme, affirme haut et fort Neumann en relâchant la veste de Seward.

— Pourquoi ne vous êtes-vous pas acharné à dénoncer tout cela, au lieu de devenir un criminel ?

— Vous êtes un peu dur de la feuille, Agent Seward. Je viens de vous dire que j'avais tout essayé. Vous n'entendez vraiment rien au comportement humain, n'est-ce pas ? Depuis quand l'Homme s'intéresse-t-il à ce que les gentils ont à dire ? Vous n'avez vraiment rien retenu de ce que je vous ai raconté tout à l'heure. L'Homme n'est pas qu'un simple animal : il est le plus stupide, il n'écoute que ceux qu'il craint. Penser autrement, c'est comme pisser dans un violon.

— Pourquoi ne pas soigner la psychopathie, si vous êtes si fort ?

— Vous faites la sourde oreille. Ce n'est pas parce que vous refusez de l'entendre que la vérité changera. Un loup de tête peut aisément mener une horde composée de 36 membres, mais avec plus, il lui est impossible de gérer une horde devenue surpeuplée. Si les membres n'optent pas illico pour une ligne de conduite instinctive, il doit éliminer au plus vite les indésirables qui mettent l'écosystème en péril. Il les chasse hors du territoire et met à mort les individus qui ne respectent pas l'intransigeante morale qu'impose la nature pour assurer la survie des espèces. Dans la pratique privée, vous réalisez très vite que les patients sont aux prises avec des psychopathes, que ce soit au travail, dans le voisinage ou au sein même de leur famille, qui leur pourrissent l'existence et leur enlèvent toute possibilité de développement psychologique harmonieux. Chaque fois, je dis bien chaque fois, qu'un patient prend conscience de l'élément perturbateur qui l'affecte et que vous vous investissez suffisamment pour le sortir de son environnement, son état psychologique s'améliore instantanément. Malgré cela, on enseigne encore au futur thérapeute de rendre au plus vite son patient autonome et de le garder hors de sa vie privée. Cette stratégie va tout à fait à l'encontre du fonctionnement naturel de toutes les espèces grégaires, dont font partie les loups et les humains.

— On ne peut pas se faire justice soi-même.

— Laissez-moi rire ! La prochaine fois que vous croiserez notre Président, vous lui demanderez pourquoi nos troupes ont été envoyées en Irak.

— Certains violent et tuent des femmes qu'ils désirent, car ils les considèrent comme étant inaccessibles autrement ; d'autres tuent des prostitués parce qu'elles vivent dans le péché ; d'autres encore s'en prennent aux homosexuels, car ils les perçoivent comme des envoyés du Diable. Les tueurs en série ont toujours de bonnes excuses pour justifier leur geste, et ils s'en prennent généralement à des gens de même niveau social qu'eux, exactement comme vous l'avez fait. Si vous agissez comme eux, vous ne valez pas mieux qu'eux, rétorque Seward avec véhémence, en faisant résonner le métal de ses menottes sur le poteau d'acier.

Neumann se dirige vers les boîtes éparses sur le plancher. Il fouille dans une première, puis dans une autre, quand il aperçoit au sol le rouleau de corde avec lequel Rockwell l'a frappé un peu plus tôt. Il le ramasse, revient vers Seward, attache solidement ses jambes contre le poteau, remonte la corde le long de son dos et fait de même avec ses bras.

— Depuis ses tout premiers balbutiements, l'éthique cherche le fondement sur lequel s'appuyer pour établir les critères du bien, du juste et de l'équitable dans l'action humaine courante. Accepter notre animalité ! révèle Neumann avec la rage du désespoir. Apprendre aux petits à devenir des adultes combatifs, soucieux du bien commun et surtout développer la sagesse en fonction du rationnel, qui est sans le moindre doute le comportement le plus remarquable que puisse acquérir un être vivant…

— Qu'est-ce que vous foutez ?

Neumann sort son revolver et le dépose dans la main de Seward avant de refermer ses doigts autour de la crosse. Seward pointe aussitôt l'arme vers Neumann qui appuie son front contre la bouche du canon.

— Tirez ! crie-t-il. Tirez, j'ai dit ! Appuyez sur cette gâchette ! Qu'attendez-vous ? Si je suis aussi cinglé et dangereux que vous le dites, pourquoi ne tirez-vous pas qu'on en finisse ? Est-ce bien moi que vous tentez désespérément de convaincre avec vos raisonnements boiteux, ou serait-ce vous-même ? Tirez ! Tirez !

— Je ne suis pas un assassin !

— Foutaise ! Tous les animaux tuent pour se nourrir. Je ne vous laisserai pas vous défiler aussi facilement. Tous les jours, des hommes, des femmes et même des enfants de partout à travers le monde vont à la guerre et tuent leurs semblables pour survivre. Si vous me tuez maintenant, je ne pourrai plus recommencer. Vous invoquerez la légitime défense et l'on vous décorera à nouveau. TIREZ ! TIREZ ! À moins que vous ne soyez un lâche, ce qui expliquerait vos insupportables réflexions à la logique en dents de scie. Dites-moi, Agent Seward, servent-elles uniquement à vous protéger de la vérité ? Est-ce cela ?

Piqué au vif à son tour, Seward serre les dents.

— Alors, j'attends ! récidive Neumann en haussant le ton.

Seward glisse le doigt sur la détente et regarde Neumann droit dans les yeux, l'air déterminé. Le sourire de Neumann s'efface. Se sentant soudain moins brave, il reprend aussitôt la parole.

— Dans le comté de Placer au Nevada, une fillette de huit ans nommée Terry Knorr alla se plaindre à son enseignante que sa mère la battait. Cette dernière fut convoquée par les autorités scolaires. Après s'être expliquée, la fillette retourna à la maison main dans la main avec sa mère, le sourire aux lèvres, convaincue que cela ne se reproduirait plus. Dès leur arrivée, la mère, folle de rage, la déshabilla, la conduisit au salon, lui attacha les mains dans le dos et la suspendit par le cou au bout d'une corde devant ses frères et sœurs. Puis elle sortit une règle et la battit sauvagement toute la soirée en l'injuriant et en lui hurlant qu'elle allait lui apprendre à se taire.

Plus tard, Suesan, la sœur de la petite Terry, s'enfuit de la maison, mais étant mineure, elle fut rapidement arrêtée. Elle déclara aux policiers qu'elle et ses sœurs étaient violemment battues à la maison. Elle fut aussitôt mise en observation dans une institution et la marâtre fut convoquée par le psychiatre. Elle le convainquit que sa fille mentait et il la laissa ramener Suesan chez elle. Folle de rage, la mère l'aspergea d'essence et la fît brûler vive parmi les ordures. Suesan mourut au bout d'atroces souffrances, sous le regard amusé de sa mère…

— Allez vous faire foutre ! vocifère Seward en lâchant subitement l'arme.

Neumann reprend le revolver et s'éloigne. Les deux hommes reprennent peu à peu leurs esprits.

— Vous êtes complètement cinglé ! Vous l'êtes encore plus que les autres ! fulmine Seward en haletant.

— Peu de temps après, l'horrible marâtre tua Sheila, l'autre sœur de Terry. Au début de son adolescence, Terry quitta le foyer familial et trouva le courage de raconter son histoire, mais là encore, personne ne voulut la croire. Neuf ans plus tard, elle se confia au policier Ron Perea, qui la crut enfin. Sa mère, Theresa, fut condamnée à la prison à vie, sans possibilité de libération conditionnelle avant vingt-cinq ans. Si quelqu'un avait pris la peine de se rendre chez les Knorr après que la petite Terry se soit plainte à l'âge de huit ans, ses deux grandes sœurs seraient encore en vie aujourd'hui.

— Allez vous faire foutre ! répète Seward, en sueur.

Il desserre sa cravate, regarde sa montre et s'active à défaire les liens.

— Selon le protocole, vous auriez dû tirer sur moi, Agent Seward. Seriez-vous en train de devenir un libre penseur ? Prenez garde, il y a un prix à payer pour cela. Lorsque vous vous accordez le luxe d'aller au fond des choses, il est difficile de faire marche arrière et de se remettre à jouer les pions dans ce monde aux valeurs artificielles.

Seward, qui a réussi à dénouer ses liens, lance la corde au loin.

— Vous avez gagné. Depuis tout à l'heure, je vous fais la conversation uniquement pour vous retenir afin que mes collègues vous coincent. C'est votre jour de chance, ils seront ici d'une minute à l'autre. Alors, filez pendant qu'il en est encore temps.

Neumann le regarde, les yeux écarquillés.

— Avoir des convictions… il en faut pour aller au fond des choses. Cessez de vous défiler, Agent Seward. Vous êtes plus intelligent, plus humain que cela. Ne faites pas comme tous ces badauds qui regardent passer le train, la bouche ouverte. Sautez dedans !

— Quoi ? Fichez le camp, ils seront ici d'une minute à l'autre.

— Si j'avais voulu fuir, je l'aurais déjà fait. Le FBI vous laisse vous trimbaler avec une arme à la ceinture, alors j'imagine que vous êtes un adulte. S'il vous plaît, mettez-vous à penser comme tel.

Les deux hommes s'étudient un moment.

— Le Grand Monarque ! s'écrie Seward.

Neumann sourit.

— « Une société dominée par un monde de luxure gouverné par des hommes d'état corrompus et malhonnêtes où tout est permis pour celui qui en a les moyens. » Voilà comment Nostradamus décrivait l'organisation sociale qui allait provoquer la fin des temps. D'après lui, la paix ne reviendra sur Terre que lorsque l'équité entre les hommes sera rétablie, et cela ne sera possible que par la venue du Grand Monarque.

Seward enchaîne.

— Vous avez sauvé d'une mort certaine un agent du FBI et arraché des griffes d'un psychopathe la mère d'une fillette de deux ans. Vous êtes déjà un héros. Mais quand les gens apprendront que, par vos meurtres, vous n'avez fait qu'éliminer des bourreaux d'enfants, sans le moindre intérêt personnel, alors là je crois que votre histoire déclenchera une vague de sympathie qui déferlera d'un bout à l'autre du pays. Vous susciterez l'admiration, et les gens se masseront pour écouter ce que vous avez à dire. Malgré le fait que votre histoire puisse facilement s'apparenter à celle d'un Robin des bois dans la bouche d'un bon plaideur, et qu'une batterie de brillants avocats va s'employer à monter votre défense, je ne crois pas que vous puissiez échapper à la prison à vie. Il est vrai que les jurés ont tendance à favoriser les accusés dans plus de 75 % des causes, car ils ne veulent pas endosser la responsabilité d'envoyer un citoyen comme eux derrière les barreaux. Mais vous ne vous êtes pas contenté d'éliminer le menu fretin. Vous vous êtes aussi attaqué aux plus redoutables, aux magnats au sommet de la hiérarchie… Des noms comme celui du sénateur Bighter me viennent tout de suite à l'esprit. Il fera sûrement tout ce qui est en son pouvoir pour vous voir griller sur une chaise électrique et, apparemment, il n'est pas le seul à souhaiter votre mort en haut lieu, croyez-moi sur parole. Je dirais même que nous avons là, pour une fois, une idée qui semble faire l'unanimité au Capitole. Avec vos citations de Nostradamus, vous avez, certes, réussi le tour de force de susciter l'intérêt de toutes les castes religieuses du pays, mais cela vous a attiré leurs foudres, pas leur sympathie.

— J'ai même déjà eu droit à un bref aperçu de cela au restaurant, cet après-midi.

— Pire encore, vous ne croyez même pas en Dieu. À moins que vous ne comptiez vous convertir, ce dont je doute fortement, je ne vois vraiment pas comment vous pourrez vous y prendre pour vous en sortir…

— Mais pour Nostradamus, le Grand Monarque n'est pas un admirateur de Dieu et sa venue ne s'effectuera qu'au vingt-et-unième siècle, quand l'athéisme…

Le portable de Seward résonne dans la poche de son pantalon. Il y plonge la main.

— Ne le touchez pas, il est trop tôt ! ordonne sèchement Neumann avant d'enchaîner. La moitié des fidèles serviteurs de Dieu diront d'office que je suis un imposteur. Mais les plus avides de savoir liront mes écrits et d'eux émergera, je l'espère, une poignée de fidèles. Cela peut suffire à faire changer les choses. Après tout, Jésus n'avait que douze disciples.

Seward devient livide et son visage s'allonge.

— Vous avez ameuté la classe religieuse pour que tout le monde parle de vos écrits et qu'une poignée de fanatiques en fassent leur bible après votre mort. Si les forces de l'ordre vous descendent, pour ces exaltés, elles auront tué le Grand Monarque comme elles ont tué le Messie. C'est bien cela, n'est-ce pas ? Du suicide par policier. Espèce de salaud !

— Les hommes reconnaissent en lui l'Élu et il leur montre comment s'y prendre pour construire le paradis sur terre, avant de périr au combat. Les fidèles, Dieu, l'Élu… Entre vous et moi, je ne crois pas que cela fonctionne, mais qu'ai-je à perdre ? Je ne peux pas laisser passer pareille chance. J'aurai au moins la satisfaction de me dire que j'aurai vraiment tout essayé.

— Vous êtes un putain de malade !

— En êtes-vous si sûr, Agent Seward ? rétorque Neumann sur le même ton. Vous ne m'avez pourtant pas tiré dessus tout à l'heure, quand je vous en ai donné l'occasion. Voulez-vous qu'on recommence ?

Il tend le revolver à Seward qui détourne les yeux. Un sourire se dessine lentement sur les lèvres de Neumann. Il attrape un petit tabouret de bois et s'assoit.

— Savoir vivre implique savoir mourir, Agent Seward. Car la mort fait partie de la vie, énonce-t-il en armant son revolver, le regard fixé au sol. La vie est très courte et, somme toute, elle ne sert pas à grand-chose. Si vous ne saisissez pas l'opportunité de laisser un monde meilleur à ceux qui vivront après vous, elle n'en vaut pas la peine… Les gens qui ont vu la mort de près s'entendent tous sur un point : au moment de mourir, votre vie défile devant vous. Et si rien n'accroche, vous quittez ce monde le sourire aux lèvres.

Neumann lève la tête et regarde Seward.

— Mes écrits n'ont pas trouvé preneur dans le petit monde restreint des grands décideurs de cette planète. Remarquez que je reconnais avoir ma part de torts. Je n'ai jamais été très fort pour les vides conversations mondaines. J'ai toujours eu la fâcheuse manie de juger les gens en fonction de leurs actes et à la manière qu'ils ont d'élever leurs enfants, plutôt qu'à leurs prétentions intellectuelles ou qu'à leur verbiage politique. Cela m'a fermé beaucoup de portes, vous savez. Mon travail n'a donc pas eu l'écho qu'il méritait. Le peuple devra encore attendre… Ne dit-on pas que, moins un artiste est reconnu de son vivant, plus grand sera l'impact de son œuvre après sa mort. Ma foi, le mien sera vraiment gigantesque. Finalement, tout n'est peut-être pas perdu… Grand Monarque ou pas.

Neumann regarde intensément son revolver.

— Que faites-vous ? demande Seward, alarmé.

— Me voir mort.

— Quoi ?

— Vous aviez raison tout à l'heure, au sujet du sénateur Bighter et de ses petits amis de la Haute… À un détail près. S'ils me mettent la main dessus, je n'atteindrai pas vivant la moindre cellule de prison. Avec le point de presse d'hier matin, ils savent maintenant jusqu'où je suis prêt à aller… et ils ne me laisseront pas faire.

21

Devant la maison de Rockwell...

Jarvis n'a pas réussi à joindre Seward sur son portable. Elle gare nerveusement sa voiture derrière la sienne et scrute attentivement la façade de la maison. La porte principale est grande ouverte. Elle sort rapidement son arme de l'étui et s'apprête à descendre de son véhicule quand un homme surgit devant elle.

— Ahhhhhhhh ! s'écrie-t-elle.

Elle reprend ses esprits, lui montre sa plaque du FBI et lui fait signe de reculer. L'homme fait trois pas en arrière.

— On a entendu des bruits qui ressemblaient à des coups de feu, lui précise l'individu en short et chemise d'été aux motifs hawaïens de couleurs vives.

— C'est bon, merci. Entrez chez vous.

Jarvis se détourne aussitôt du citoyen bien intentionné et attrape son portable, lorsqu'elle aperçoit un individu bedonnant qui longe la façade en direction de la porte d'entrée laissée béante.

— Hé, vous ! hurle-t-elle en lui faisant signe de dégager les lieux.

Surpris, l'homme s'exécute sans demander son reste.

*

*   *

Dans le sous-sol, un long silence appesantit l'atmosphère déjà chargée. Toujours assis sur le tabouret, Neumann joue sans conviction avec son arme, pendant que Seward suit des yeux le moindre déplacement du revolver entre ses mains.

— Qu'allez-vous faire ? demande le jeune agent qui trouve ce silence de plus en plus inquiétant.

Entièrement plongé dans ses pensées, Neumann ne répond pas et continue de manipuler l'arme comme si l'officier du FBI n'existait pas. L'anxiété de Seward monte d'un cran.

— FBI ! Agent Seward, êtes-vous ici ? crie alors Jarvis en franchissant le seuil de la porte, juste au-dessus de leurs têtes.

Neumann se lève d'un bond.

— Sauve-toi, Nicole ! Fiche le camp d'ici ! hurle Seward à pleins poumons.

Neumann saisit la dague dans la poche arrière de son pantalon et file se mettre à l'abri derrière Seward. Il l'enserre par la taille et appuie la dague sous sa gorge.

— Taisez-vous.

Au-dessus, Jarvis court vers la porte de la cave d'où le cri désespéré de son collègue a jailli. Soudain, son visage apparaît dans le cadre. Elle avance sur le palier et pointe son arme dans leur direction.

— Mains en l'air ! FBI, plus un geste !

Neumann dirige aussitôt son revolver vers elle. Jarvis s'accroupit et arme le sien en guise de menace. Seward tente de crier, mais il est tenu en respect par la dague dont la pression s'intensifie sous sa gorge.

— Jetez votre arme ! hurle Jarvis en visant la tête de Neumann.

— Ça y est, nous y sommes, chuchote Neumann à l'oreille de Seward.

— Ne la mêlez pas à ça, articule Seward avec difficulté, gêné par la lame qui compresse sa pomme d'Adam.

Neumann le regarde, intrigué.

— Jetez votre arme ! ordonne de nouveau Jarvis en descendant une marche.

— Ne descendez pas !

Jarvis s'immobilise, mais garde toujours le canon de son arme pointé au beau milieu du front de Neumann.

— Jetez votre arme ! Jetez votre arme !

— Calmez-vous, Agent Nicol, sinon je lui tranche la gorge.

Seward se met à gesticuler. Neumann lui enfonce un peu plus la lame dans la chair.

— Jetez votre arme et mains en l'air ! ordonne de plus belle Jarvis, ignorant la menace de Neumann.

— Cessez de répéter cette phrase. Nous allons devoir discuter.

— J'ai dit, jetez votre arme ! réitère Jarvis en descendant une seconde marche.

Neumann est estomaqué.

— Je vous aurai prévenue.

Neumann pointe son arme vers le visage de la jeune femme. Jarvis fait demi-tour et gravit les marches en courant. Neumann tire un coup de feu qui atteint la marche sous les pieds de Jarvis.

— Bon. Cette fois, nous allons pouvoir discuter, Agent Nicol.

— Sauve-toi, Nicole ! crie Seward d'une voix éraillée.

— Nicol, ce n'est pas un nom de famille ça. Nichols peut-être ? propose Neumann en insistant sur le « s ». À moins que…, serait-ce votre petite amie ?

Seward se met à gesticuler dans tous les sens.

— Si vous…

— N'en dites pas plus, j'ai compris… Qui êtes-vous ? crie Neumann à l'intention de Jarvis.

Assise le dos appuyé contre le mur, celle-ci reprend son souffle. Elle tourne la tête vers la porte d'entrée et aperçoit, de l'autre côté de la rue, un groupe de curieux qui la regardent, agglutinés sur le gazon. Parmi eux, un homme avec un appareil photo est en train de l'immortaliser. Furieuse, elle se dirige vers la porte en position accroupie.

— Circulez ! Rentrez chez vous !

L'homme la mitraille avec son appareil photo. Jarvis aperçoit alors un autre homme dans la foule. Sa caméra portative en main, il la filme sans vergogne. Folle de rage, elle leur claque la porte au nez et reprend sa position.

— Je suis l'agent Jarvis, du FBI ! Jetez votre arme, relâchez votre otage et rendez vous ! Il ne vous sera fait aucun mal, Professeur Neumann !

— Nicole, quittez cette maison et fermez la porte derrière vous. Je vous promets qu'il ne sera fait aucun mal à votre ami.

Ébranlée, Jarvis a un petit pincement au cœur.

— Jetez votre arme, Professeur, et rendez vous !

Neumann retire lentement la lame de la gorge de Seward.

— Dites-le-lui vous, elle va peut-être vous écouter.

Seward prend un moment pour se concentrer.

— Nicole, écoute ce qu'il te dit et fiche le camp d'ici !

Jarvis plisse les yeux pour retenir ses larmes. La gorge nouée, elle donne un coup de tête contre le mur. Neumann replace aussitôt la lame sous la gorge de Seward.

— Cela devrait suffire, murmure-t-il à l'oreille de son prisonnier.

Jarvis reprend son souffle et frotte ses yeux boursouflés.

— Jetez votre arme, Professeur ! Relâchez votre otage, il ne vous sera fait aucun mal.

— Cessez de répéter sans cesse la même ritournelle et fichez-moi le camp d'ici !

— Jetez votre arme, Professeur ! Des renforts seront ici d'une minute à l'autre. Si vous désirez parler à un négociateur, cela vous sera possible. Mais si vous relâchez votre otage tout de suite, vous aurez marqué des points quand viendra le temps…

— Je sais très bien que vos renforts seront bientôt ici.

— Calmez-vous, Professeur ! Je ne tenterai rien. Je reste là, derrière cette porte, et c'est tout. Si vous voulez me parler, je vous écoute, propose la policière aussi calmement qu'elle en est capable.

Neumann réfléchit un moment.

— D'accord. L'agent Seward m'a raconté pour vous deux.

— C'est faux ! crie tant bien que mal Seward qui sent la lame s'enfoncer un peu plus.

— Taisez-vous, idiot, lui chuchote Neumann.

Jarvis se met subitement à suffoquer et secoue son chemisier pour se ventiler. Elle a l'impression que son cœur va sortir de sa poitrine. Elle rejette la tête vers l'arrière pour aspirer le plus d'air possible. Du sous-sol, les deux hommes peuvent entendre ses efforts. Ravi d'avoir fait mouche, Neumann en remet.

— Fichez le camp d'ici, Nicole, sinon je lui tranche la gorge.

— Putain de sale connard ! Si vous touchez à un seul de ses cheveux, je vous jure sur la tête de ma mère que je vous fais éclater la tronche, espèce d'enfoiré !

Les deux hommes restent pétrifiés. Jarvis, dont la peur s'est soudainement transformée en rage, donne un coup de coude si violent dans le mur qu'elle en fait trembler la cloison.

— Toute ma vie, j'ai porté la mort de ma mère sur mes épaules. Aujourd'hui, cet homme m'a permis de croire en des jours meilleurs. Jamais personne ne m'avait parlé comme lui auparavant, poursuit Jarvis, des sanglots dans la voix.

La jeune femme reprend son souffle.

— Je suis là et il est votre otage. Alors, s'il lui arrive quelque chose, je ne me le pardonnerai jamais. Est-ce que vous m'avez entendue, espèce de sale détraqué de merde !

— Oui, oui, oui, je vois. Je vous ai bien compris... Vous devez être très fatiguée. Calmez-vous, lui conseille Neumann de sa voix la plus douce.

— Je suis calme, ça va, ça va.

— Quittez les lieux maintenant.

— Quoi ! Quoi ! Qu'est-ce que vous dites ? Je vous ai dit que je ne partirais pas d'ici, espèce de sale con !

Sous le coup de l'émotion, Jarvis étire le bras à travers le cadre de la porte et, sans crier gare, tire trois coups de feu au-dessus de leur tête. Surpris, Neumann et Seward ont à peine le temps de se baisser sous les balles qui sifflent de toutes parts. Exsangues, les deux hommes se redressent lentement.

— Qu'est-ce que je vous ai dit ? Qu'est-ce que je vous ai dit ? vocifère Jarvis, le corps tremblant et des larmes plein les yeux.

Neumann reprend pied et réfléchit un moment.

— Que vous ne partirez pas.

— Bon ! Vous avez compris cette fois.

— D'accord, Agent Jarvis, d'accord, je vous ai mal jugée. Vous ne partirez pas, c'est très clair. Mais je n'ai pas l'intention de libérer l'agent Seward pour l'instant.

Jarvis éclate en sanglots. Neumann reprend d'une voix calme.

— Alors, je vous propose un marché. Montrez-vous et pointez votre arme sur moi. Mais, pour que cela fonctionne, plus personne ne doit perdre les pédales. Est-ce que cela vous convient ?

Jarvis prend une grande inspiration et sèche ses pleurs.

— Hé ! Pas plus tard qu'hier, j'ai failli faire arrêter un de mes meilleurs amis dans une pharmacie. Et, vous savez quoi ?

— Non.

— Je m'en veux vraiment. Vous ne pouvez pas savoir à quel point. Quelque chose s'est déclenché dans ma tête et, depuis, je ne pense plus qu'à aller lui présenter mes excuses… et vous, vous tenez l'agent Seward enchaîné à ce poteau comme un animal. Tout ça, c'est très dur pour moi. Je me sens capable de tout et… je n'aime pas ça du tout. Vous m'entendez !

— Je vous reçois cinq sur cinq, Agent Jarvis. Je retiens chacune de vos paroles, soyez-en assurée.

Les yeux de Jarvis s'emplissent de larmes. Elle aperçoit alors deux hommes accroupis sous la fenêtre de la cuisine qui donne sur la cour arrière. L'un d'eux porte une caméra portative au bout de son bras. Il affiche un large sourire pendant qu'il la filme. Le second suit avec avidité la scène sur le petit écran de la caméra. L'espace d'une seconde, le champ de vision de Jarvis se rétrécit.

— Fichez le camp d'ici, saleté de vautours !

Sans plus y penser, elle braque son arme en direction de la caméra et ouvre le feu à trois reprises. Deux balles passent au-dessus de la tête des chasseurs d'images et la troisième fracasse la caméra qui est arrachée des mains de son propriétaire. Les deux hommes détalent en hurlant, sans demander leur reste.

— Que se passe-t-il ? s'écrie Neumann, alerté par les coups de feu et les aboiements de la jeune policière qui ne lui semblent pas destinés.

Jarvis se détend peu à peu. Son cœur reprend son rythme normal et sa respiration s'apaise. Elle recharge son arme avec un calme inquiétant. N'obtenant toujours pas de réponse, Neumann reprend la négociation.

— Je ne vous menacerai pas de mon arme.

— Non, Nicole ! Non, ne fais pas ça ! crie Seward, profitant du fait que Neumann a relâché la pression de la lame sur son cou.

— Taisez-vous, ordonne Neumann en plaçant la dague sur la carotide de Seward.

— Ne faites pas ça, implore le policier terrifié.

— Si vous ne dites rien, il ne vous arrivera rien. Personne ne sera blessé, je vous le promets et vous pourrez partir main dans la main, en oubliant tout ça. Qu'en dites-vous ?

— Votre vie pour que votre théorie survive, conclut Seward avec amertume.

Jarvis surgit au haut de l'escalier, son arme pointée sur Neumann. Surpris, ce dernier reste immobile.

— C'est parfait, Agent Jarvis. N'oubliez pas que j'ai toujours ma lame sous sa gorge.

— Jetez votre arme et votre couteau ! D'ici, je ne vous raterai pas. À dix mètres, je fais un carton à tout coup sur une cible de la taille d'une mouche.

— Ne faites aucun geste inconsidéré. C'est bien vous qui m'avez tiré dessus à plusieurs reprises l'autre soir sur mes terres ? Vous n'avez pas atteint votre cible une seule fois. Alors, permettez-moi d'émettre un sérieux doute quant à votre habileté au tir. C'est la vie de l'agent Seward qui en dépend.

Jarvis ne bronche pas. Neumann serre la crosse de son revolver qui pend au bout de son bras et relâche un peu la pression de la lame sous la gorge de Seward.

— Qu'en pensez-vous, Agent Seward ?

— Ne tire pas, Nicole ! Surtout, ne tire pas. Cela serait trop long à t'expliquer, mais fais-le pour moi. Je ne me le pardonnerai jamais si tu le tues. Je t'aime, Nicole.

Neumann lui enfonce de nouveau la lame sous la gorge. Les joues de Jarvis sont en feu, ses yeux se brouillent et sa respiration devient sifflante.

— Ta gueule, Simon ! Tu souffres d'un sérieux désordre mental quand il s'agit de ce type. Et maintenant que tu représentes plus qu'un simple collègue à mes yeux… nom de Dieu ! Je ne suis pas en état pour faire face à ce genre de prise d'otages de merde ! Personne ne t'a sonné, Simon ! Alors, garde tes commentaires pour toi et boucle-la !

— Laissez sortir tout ça. C'est très bien d'exprimer ses émotions, l'encourage Neumann.

— Vous, fermez-la et jetez votre arme !

— Si vous tirez, vous ne trouverez plus la fille, rétorque judicieusement Neumann.

— Quoi ?

— La fillette, Karen, je l'ai enfermée dans le coffre arrière d'une voiture.

— Espèce de fêlé ! Putain de détraqué de merde ! glapit la policière en descendant une marche.

Neumann reprend d'un ton plus ferme.

— N'ayez crainte, j'ai percé des trous d'aération, elle devrait survivre... mais seulement deux ou trois jours, tout au plus.

— Dites-moi où elle est ! Dites-le-moi tout de suite ! hurle Jarvis à bout de nerfs, le doigt dangereusement replié sur la détente.

— Je suis le seul à connaître l'emplacement de cette voiture. Si vous me tuez maintenant, vous ne la retrouverez jamais vivante.

— Qu'est-ce que vous foutez, Neumann ? s'emporte à son tour Seward.

Neumann colle sa bouche sur son oreille.

— Sur ce coup-là, vous avez intérêt à m'appuyer, lui chuchote-t-il en relâchant la pression de la lame.

Seward ravale sa salive et inspire un bon coup.

— C'est vrai ce qu'il dit, Nicole, on ne retrouvera jamais la fille. Pense à la fillette.

Perplexe, Jarvis se mord la lèvre inférieure.

— Qu'est-ce que vous manigancez ?

— Rien, rien du tout. Surtout, reste calme, Nicole, enchaîne Seward d'une voix rassurante.

— Ne bouge pas, Simon. Je te jure que je te le dégomme d'une seule balle. Je vais te l'expédier au paradis vite fait, ton putain de gourou, s'il ne me dit pas tout de suite où est Karen !

— Vous voyez, Agent Jarvis, j'ai laissé pendre mon arme le long de mon corps. Je n'ai pas l'intention de m'en servir contre vous. Si tel était le cas, je n'aurais qu'à lever le bras, ouvrir le feu et vous ne pourriez même pas riposter.

— Putain, Neumann ! Si vous faites ça, je vous découpe en rondelles, rugit Seward, le visage écarlate.

Neumann resserre aussitôt l'étreinte de sa lame sur sa gorge.

— Là, vous ne m'aidez plus, lui murmure-t-il à l'oreille. Puis il hausse le ton : ce n'est rien, Agent Jarvis. Restons calmes, tout va bien, personne ne va tuer personne. Je n'ai pas voulu cette situation. Mais, si vous bronchez, vous ne reverrez plus Karen et j'aurai tranché la gorge de votre ami avant même que vous n'ayez eu le temps de dire ouf. Est-ce bien clair ?

Son revolver toujours pointé vers le front de Neumann, la policière a le cerveau en ébullition.

— Que voulez-vous ? demande-t-elle enfin.

— Parfait, c'est très bien. Nous savons tous maintenant où nous en sommes. Veuillez baisser votre arme, s'il vous plaît, Agent Jarvis, demande poliment Neumann.

Jarvis descend lentement son arme, puis la remonte d'un seul geste.

— Je ne peux pas faire ça.

— Nom de Dieu, Nicole, pour l'amour du ciel, baisse cette arme, lui intime Seward dans un cri de désespoir.

Dans son emportement, la lame glisse sur son cou et le sang se met à couler. Jarvis est horrifiée.

— C'est bon ! Je baisse mon arme si vous laissez tomber la vôtre en même temps !

— Vous êtes plutôt dure en affaire. Bon…

Dehors, les sirènes se font entendre au loin.

— … la cavalerie arrive juste à temps cette fois, souligne Neumann. Maintenant, il n'y en a plus pour longtemps. Nous devons trouver une solution à notre impasse, et vite, propose-t-il en serrant de plus belle son poing autour de la crosse.

— Je vais…

— Ça suffit ! crie alors Neumann en pointant son arme vers Jarvis.

Résolue à lui faire face, la jeune femme affermit sa position de tir.

— Jetez votre revolver, Agent Jarvis, je ne le répéterai pas deux fois !

— Nous avons convenu d'un marché, objecte Jarvis qui reprend du poil de la bête.

Neumann attrape alors Seward par les cheveux et bascule sa tête vers l'arrière. La coupure s'ouvre et le sang se met à couler lentement le long de la lame.

— D'accord ! Je dépose mon arme, abdique aussitôt Jarvis en levant les mains.

Le hurlement des sirènes se rapproche de plus en plus. Neumann relâche Seward et tourne son arme vers Jarvis.

— Déposez votre revolver à vos pieds.

Jarvis s'exécute. Dehors, les sirènes se sont tues.

— Maintenant, posez vos mains sur votre tête et approchez.

Jarvis descend lentement la première marche, puis la suivante.

— C'est très bien, continuez comme ça.

*

* *

À l'extérieur, l'équipe tactique se déploie : aménagement de cordons pour repousser les badauds, distribution d'armes de poing, installation de tireurs d'élite sur les toits, évacuation des résidants immédiats.

Un journaliste arrive sur les lieux à bord d'une camionnette blanche de la station de télévision locale. Il se dirige vers les badauds attroupés derrière le cordon. Il repère d'abord un jeune garçon d'une douzaine d'années, assis sur la fourche de sa bicyclette, puis un second allongé dans l'herbe, sa bicyclette couchée à ses côtés.

— *Voilà mon homme*, se dit-il. *Il est sûrement là depuis le début de la prise d'otages.*

Il s'apprête à l'aborder quand un convoi de six fourgonnettes noires aux vitres teintées surgit à l'autre bout de la rue. Le journaliste se redresse, étonné. Il n'a jamais vu pareil cortège. Son instinct lui indique qu'il ne s'agit pas d'une simple prise d'otages familiale. Il tourne la tête vers son caméraman. Ce dernier est déjà en train de filmer la scène, installé sur le toit de la camionnette blanche. Leurs regards se croisent. Euphorique, le caméraman lui sourit et lève le pouce. Pour la première fois, leur reportage ouvrira le bulletin d'informations sur le réseau national et un peu partout à travers le monde. Le journaliste a peine à contenir sa joie. Il se précipite vers son véhicule pour y prendre son microphone.

*

*   *

Jarvis n'est plus qu'à quelques marches de la cave. Le portable accroché à la ceinture de sa jupe, celui tapi dans la poche du pantalon de Seward et le téléphone à l'étage se mettent à résonner en chœur. Elle s'immobilise.

— Ce n'est rien, continuez, l'incite Neumann.

Jarvis descend sous le concert de sonneries et s'arrête au bas de l'escalier.

— C'est bien, tournez-vous maintenant.

Jarvis obéit.

— Pourquoi ne répondez-vous pas ? Ils veulent sûrement vous parler, demande Neumann à Seward. Puis il se retourne vers Jarvis.

— Retirez lentement vos menottes de leur étui… avec votre main gauche, lui précise-t-il, car il a remarqué que la jeune femme est droitière.

Jarvis sort doucement ses menottes.

— Très bien. Passez-en une autour de votre poignet droit.

Jarvis s'exécute.

— Serrez un peu plus. Maintenant, jetez vos clefs par terre. Merci. Joignez vos mains devant vous, s'il vous plaît.

Jarvis termine l'opération sous le tintamarre incessant des téléphones.

— Venez par ici. Qu'attendez-vous pour répondre, Agent Seward ? demande Neumann en retirant la dague de sous la gorge de son prisonnier.

Avec ses mains entravées, Seward arrive tant bien que mal à mettre la main sur son portable. Neumann recule et signale à Jarvis de rejoindre son coéquipier. Le policier réussit enfin à coller l'appareil sur son oreille.

— Agent Seward !

Les autres sonneries cessent immédiatement leur vacarme.

— Placez-vous devant le poteau, ordonne Neumann à Jarvis.

Cette dernière s'installe devant Seward.

— Mettez vos bras autour du poteau et attachez la menotte à votre poignet gauche.

Jarvis entoure le poteau de ses bras, se trouvant ainsi nez à nez avec Seward.

— L'agent Jarvis est avec moi. Nous sommes sains et saufs tous les deux… Il est mort juste à côté de moi… Neumann l'a tué… Non, je ne l'ai pas vu, il me l'a avoué de son propre chef… La fillette ? répète Seward.

Neumann se raidit et regarde Seward droit dans les yeux.

— Il ne l'a pas touchée. Il ne lui a fait aucun mal. Il n'y a aucun souci à se faire pour la fillette. Elle est en sécurité… Non, elle n'est pas ici. Je ne sais pas où elle est.

Seward pose son regard sur Jarvis. Cette dernière fronce les sourcils.

— Neumann n'a rien… Il n'y a personne d'autre ici… Non, nous ne pouvons pas sortir. Il nous a pris en otage… Oui, il est armé, mais je ne crois pas qu'il soit dan…

Neumann lui arrache le portable des mains, le referme et vérifie que Jarvis est bien menottée.

— Veuillez me remettre votre portable, s'il vous plaît, demande-t-il à la jeune femme.

Jarvis le lui tend.

— Avez-vous d'autres armes sur vous ?

— Non.

Neumann lui tourne le dos sans même prendre la peine de la fouiller. Il se dirige vers le tabouret et s'y assoit calmement. Le téléphone de Seward résonne de nouveau. Cette fois, c'est Neumann qui décroche.

— Oui ! C'est bien moi, répond-il avant de raccrocher sans laisser le temps à son interlocuteur de poursuivre la conversation.

— Qu'est-ce que vous faites ? s'inquiète Seward.

Le téléphone de Jarvis sonne à son tour.

— Oui ! Elle est ici, je vous la passe.

Neumann se lève et place l'appareil sur l'oreille de Jarvis.

— Oui… Je vais bien… Je…

Neumann referme l'appareil et retourne vers le tabouret. Il a à peine le temps de s'y rasseoir que le portable de Jarvis sonne de nouveau.

— Oui !… Allez au diable ! Si vous tentez quoi que ce soit, je ne peux rien vous garantir concernant la vie de mes otages ! vocifère Neumann avant de mettre fin abruptement à la communication.

Le portable revient à la charge.

— Oui !… C'est ça. Un négociateur. L'agent Bruno Castelli est sûrement dans votre service ? De toute façon, il ne doit pas être très difficile à trouver avec un nom pareil. Quand ce sera fait, vous lui ferez savoir que je l'attends.

Neumann coupe la ligne de nouveau sans même attendre la réponse de son interlocuteur.

— Vous connaissez l'agent Castelli ? demande-t-il à ses otages.

— Il est du même service que nous, répond Seward.

— Bien, nous n'avons plus à nous inquiéter pour la suite.

— Il ne devrait pas tarder à arriver, rajoute Seward.

— Il est mort. Il est mort cet après-midi, lance Jarvis sans ménagement.

— Quoi ? s'écrie Seward, incrédule.

— Il est mort dans un accident de voiture à deux coins de rue de chez lui. Je l'ai appris juste avant d'arriver ici. La nouvelle a consterné tout le monde. Je suis désolée.

— La chance tourne, lance Neumann, manifestement ébranlé.

Une atmosphère feutrée succède à l'ambiance survoltée de la dernière heure. Neumann aspire une grande bouffée d'air, redresse la tête et se met à scruter les environs. Puis il saute sur ses pieds et file vers les marches d'escalier qu'il grimpe deux à deux en enjambant l'arme que Jarvis y a laissée.

— Hé ! Où allez-vous ? hurle Seward, affolé.

Neumann se précipite à la cuisine en position accroupie.

*

* *

— Simon, Simon, regarde-moi. Est-ce que tu as les clefs ? demande Jarvis à voix basse.

— Non. Et toi, tu as quelque chose ?

— Je n'ai rien, je n'ai même pas une épingle à cheveux.

— Merde de merde !

— Tu as ton arme de réserve ?

— Non.

— La boucle de ta ceinture ! s'exclame Jarvis.

Seward s'empresse de la défaire. Il enfonce aussitôt l'ardillon dans le trou de la serrure d'une des menottes de Jarvis pendant que cette dernière fait le guet, les yeux rivés sur le haut de l'escalier.

— Je l'ai ! s'écrie enfin Seward.

*

* *

Une fois dans la cuisine, Neumann barricade la porte arrière avec la table, ferme les rideaux et déplace le réfrigérateur devant la vitre que Jarvis a fait éclater en mille morceaux un peu plus tôt. Il file ensuite au salon et tire les rideaux, passe au hall en position accroupie, verrouille la porte principale, grimpe à l'étage et ferme rideaux et portes de chaque pièce. Il redescend au salon, débranche le téléviseur, prend l'appareil à bras le corps et commence à descendre au sous-sol.

*

* *

— Dépêche-toi, Simon ! le presse Jarvis qui voit Neumann se pointer au haut de l'escalier.

L'ardillon se rompt entre les mains de Seward qui avait présomptueusement crié victoire quelques minutes auparavant.

— Ahhhhh ! hurle-t-il avec rage en envoyant valser la ceinture de cuir sous le regard désapprobateur de Neumann qui se tient sur la dernière marche, à quelques pas derrière lui.

Sans plus s'attarder sur la tentative d'évasion de ses prisonniers, ce dernier dépose le poste de télévision sur le sol. Puis il repère sous l'escalier une table pliante. Il tire le meuble coincé entre des chaises de jardin et deux vieilles bicyclettes et l'époussette. Sa trouvaille s'avère être une table à poker au velours usé. Il la transporte au centre de la pièce, devant Seward et Jarvis, déploie les pieds, la dépose sur le sol et teste sa solidité en s'y appuyant de tout son poids. Satisfait, il y dépose le téléviseur, l'écran tourné vers ses prisonniers. Il retourne sous l'escalier où une série de clous soutiennent une lampe électrique, une paire de pinces rouillées, du ruban gris, un blouson, un manteau et un rouleau de fil électrique orange. Il saisit le rouleau, y branche le fil de la télé puis le fait courir sur le sol jusqu'à une prise murale sous une fenêtre. Il revient devant le téléviseur, sélectionne les postes et s'arrête sur une chaîne qui diffuse l'actualité. Il règle le son, tire son tabouret et s'installe à gauche du poste de façon à voir à la fois l'écran et ses otages.

— Que faites-vous ? demande Jarvis, intriguée.

— Ce n'était pas évident tout à l'heure, mais vu d'ici, vous faites un couple plutôt bien assorti.

— C'est ici ! l'interrompt Jarvis en pointant l'écran de la télé.

Neumann s'avance pour augmenter le volume de l'appareil. On y voit Jarvis faisant des signes au caméraman amateur avant de claquer furieusement la porte. La scène suivante montre un reporter qui consulte un cahier de notes.

— *C'est ici, juste derrière moi, qu'un homme de type caucasien, barricadé depuis la matinée, retiendrait quatre personnes en otages, selon nos sources. L'escouade d'intervention tactique est déjà sur les lieux, comme vous pouvez le constater. Oh ! J'aperçois une voiture qui franchit à vive allure le périmètre de sécurité. Nous sommes un peu loin, mais je vois un homme en descendre à toute vitesse. Il pénètre dans la maison juste en face qui a été réquisitionnée pour servir de centre de commandement improvisé. Nous n'avons pas d'autres informations pour l'instant, les autorités se montrent discrètes. Il y a beaucoup de monde ici, des curieux qui, en ce beau dimanche d'automne, en ont profité pour venir faire un tour. En attendant un dénouement heureux, je l'espère.*

Le chef d'antenne reprend la parole.

— *Oui, oui, bien. Prévenez-nous dès qu'il y aura du nouveau, nous vous céderons l'antenne aussitôt.*

Neumann se penche vers la télé et coupe le son.

— Bon, tout le monde est là… Voilà ! Nous en sommes au dernier acte, je crois, lance-t-il en se rasseyant.

Les deux agents observent en silence Neumann qui fait tourner le barillet de son arme, le regard perdu dans un autre univers.

— D'aussi loin que je me souvienne, mon père adorait la musique. D'ailleurs, il jouait souvent du piano pour ma mère, le dimanche après l'office… Connaissez-vous la mélodie de *La petite fille de la mer* de Vangelis ?

Jarvis et Seward n'osent pas l'interrompre. Neumann poursuit tout doucement.

— Tous les enfants du monde adorent la mer. Avez-vous remarqué que, lorsqu'on aime quelqu'un, on rêve invariablement de l'amener un jour à la plage ? Iris aurait adoré voir la mer. J'ai toujours aimé cet air. Il a quelque chose de touchant, d'inévitable… comme s'il voulait nous rappeler que, dans la vie, il y a des choses qui nous arrivent sans qu'on les ait choisies ni souhaitées… des choses auxquelles on ne pourra pas se soustraire… malgré toute notre bonne volonté. C'est comme ça…

Neumann se met à fredonner, comme pour se donner du courage. Le portable de Seward sonne, mais Neumann ne répond qu'au quatrième coup.

— Oui… Enchanté de faire votre connaissance… Non… Non… Non… Je suis à vous dans une minute. N'ayez crainte.

Neumann se lève lentement et dépose les deux portables sur le téléviseur. Il se dirige vers l'escalier et monte lentement les marches jusqu'au revolver de Jarvis qu'il ramasse. Il redescend, une arme dans chaque main. Il transfère les deux armes dans sa main droite, attrape le rouleau de ruban gris suspendu à un clou et retourne s'asseoir sur le tabouret. Il dépose un revolver dans sa main gauche et enroule le tout de ruban gris, laissant l'index libre d'appuyer sur la gâchette.

— Que faites-vous ? demande Jarvis.

— Ne faites pas ça ! Vous n'avez pas besoin de faire ça ! C'est de la pure folie ! l'implore Seward.

Neumann place l'autre revolver dans sa main droite et, à l'aide de sa bouche et de son index gauche, il l'enroule tant bien que mal de ruban gris tout comme sa jumelle, sans tenir compte des supplications de ses otages.

— Vous ne pensez pas aux enfants qui vivent dans vos orphelinats ? lance Seward en désespoir de cause.

Neumann relève subitement la tête et dévisage le jeune policier. Plus personne ne bouge, comme si le temps était suspendu. Puis il se détend.

— Le cas échéant, Madame Darc fera tout aussi bien, sinon mieux que moi. Elle est d'ailleurs ma principale héritière. Tout le monde peut être utile sur cette terre, mais personne n'est irremplaçable. Et, je vous rassure tout de suite, elle n'a jamais été au courant de mes activités extraprofessionnelles, ni personne d'autre d'ailleurs.

— Si vous sortez avec ces armes, vous allez blesser d'innocentes victimes et cela va à l'encontre de vos propres principes, le confronte Seward.

— Vous oubliez l'effet Pygmalion, rétorque calmement Neumann.

— Quoi ?

— Le matin du 3 juillet 1988, le responsable du radar du USS Vincennes, le navire de guerre le plus sophistiqué de toute la flotte américaine à l'époque, a cru voir sur son écran radar un avion descendre en piqué sur le navire. En réalité, l'écran montrait un avion en montée. Mais le soldat avait tellement peur de mourir sous une attaque-surprise qu'il a tout simplement vu ce qu'il craignait voir. C'est ce qu'on appelle l'effet Pygmalion. Le croiseur ouvrit le feu et abattit en plein vol un inoffensif avion de ligne, tuant 295 innocentes victimes. Vous voyez, il ne sera pas nécessaire que je blesse qui que ce soit.

— Vous n'avez pas le droit de faire ça à ces hommes. Il y a des mères et des pères de famille parmi eux. Vous risquez de briser leur vie à tout jamais !

— Le capitaine Rogers du USS Vincennes, qui donna l'ordre d'ouvrir le feu, fut décoré de la Légion du mérite. Depuis, il se la coule douce au soleil avec une retraite d'officier supérieur. Vous voyez, ils s'en remettront.

— Allez vous faire foutre ! hurle Seward en frappant ses menottes contre le métal de la poutre sous le regard surpris de Jarvis.

— Non, Simon, pas ça ! s'insurge la jeune femme.

Elle se retourne et fixe intensément Neumann.

— Vous allez tenter une sortie en force, c'est ça ? Parce que, si c'est ce que vous envisagez, il est de mon devoir de vous avertir que les hommes qui vous attendent dehors sont membres d'équipes tactiques qui s'entraînent à longueur de journée à tirer sur des cibles en carton. Je ne sais pas quel est votre plan ni comment vous comptez vous y prendre pour sortir d'ici, car, à l'heure qu'il est, ils ont sûrement déjà bouclé tout le quartier. Mais un bon conseil, ne les provoquez pas, ils sont bourrés d'adrénaline. Ne leur donnez pas la chance de tirer sur une cible vivante. Si vous faites éclater un gyrophare, si vous faites voler une seule casquette dans les airs ou si vous faites le moindre geste irréfléchi, ils ne se gêneront pas pour vous transformer en passoire. Ne pointez jamais votre arme dans leur direction.

Suis-je assez claire ? Vous comprenez ça ? Vous faites le moindre faux pas et…

— Je crois que vous ne réalisez pas vraiment qui m'attend là-haut, rétorque Neumann, impassible, en terminant l'emballage de sa main.

Jarvis devient subitement blanche comme un drap.

— Vous savez très bien que les membres des équipes tactiques n'ouvriront pas le feu sur vous sans raison, mais il n'y a pas qu'eux là-haut, c'est bien ça, Professeur Neumann ?… Bien sûr, c'est évident… N'y allez pas ! Du moins, n'y allez pas seul.

Neumann coupe le ruban avec ses dents, se lève lentement et se dirige vers l'escalier. Il pose sa main enrubannée sur la rampe et se retourne.

— Oh ! Une dernière chose. Si ça fonctionne entre vous deux, si ça fonctionne vraiment, et qu'un jour, vous décidez d'avoir un bébé, sachez que plus de treize millions d'enfants meurent de mauvais traitements chaque année, et qu'un nombre dix fois plus élevé vivent dans des ruelles et n'auront jamais la chance de bénéficier d'une saine éducation. Alors, si un jour vous avez un enfant, aimez-le de tout votre être comme s'il était encore en vous… la nature vous dictera le reste… Pour ce qui est de Karen, dévoile Neumann, le regard rivé dans celui de Jarvis, je dois rejoindre Lowen …

— Au parc Druid Hill, à dix-neuf heures, poursuit spontanément Jarvis.

— Non, dans une maison mobile que j'ai louée pas très loin d'ici. Il est prévu que j'aille chercher Karen pour la remettre à sa mère. J'en déduis que vous avez capturé Jonathan Salss… c'est le petit ami de Lowen. J'ai brièvement parlé de lui à l'agent Seward tout à l'heure…

Neumann se tourne vers Seward, mais ce dernier garde la tête baissée. Neumann replonge alors son regard dans celui de Jarvis.

— Il vous racontera. Salss vous a donné l'heure juste, mais pas le véritable point de rencontre. Quand tout sera terminé, vous n'aurez qu'à lui demander de vous y conduire. Lowen m'y attend bien sagement avec la fillette. Lowen est un véritable cordon-bleu, il consacre le plus clair de son temps à préparer des petits plats pour ses convives. Cet homme ne ferait pas de mal à une mouche. Allez-y doucement et vous récupérerez la petite Karen sans le moindre ennui. Vous pourrez alors la remettre à sa mère à ma place.

Neumann prend une grande inspiration et commence à monter l'escalier.

— Vous allez crever là-haut, comme un chien ! C'est ça que vous voulez ? C'est ça ? lui hurle Seward dans un ultime cri du cœur.

— Simon, arrête ! Arrête ça, s'interpose Jarvis en attrapant le visage de son amoureux entre ses mains. Arrête, Simon, arrête. Tu te fais plus de mal qu'autre chose.

Neumann se retourne.

— Je suis désolée, ajoute Jarvis, émue.

— La Terre promise. La veulent-ils vraiment, Professeur ? Toute cette foule qui vous attend là-haut, quel accueil vous réserve-t-elle ? relance Seward avec dépit.

— Simon ! Tu ne trouves pas que c'est assez difficile comme ça, l'adjure Jarvis.

Seward fixe Neumann droit dans les yeux, la mâchoire tremblante. Incapable d'ajouter quoi que ce soit, Neumann se retourne, aspire une bonne bouffée d'air et grimpe les marches deux à deux. Ébranlé, il s'arrête à mi-chemin et se retourne vers les deux jeunes gens.

— Une dernière chose. Savez-vous ce qu'ont en commun John Fitzgerald Kennedy et George Walker Bush ?

Jarvis secoue la tête, incapable de répondre.

— Ils vivaient encore chez leurs parents lorsqu'ils sont devenus président des États-Unis. Souvenez-vous de cela quand votre enfant sera un adolescent ou un jeune adulte et qu'il vous semblera qu'il est grand temps pour lui de voler de ses propres ailes.

Neumann adresse un timide sourire à Jarvis. Puis, incapable de soutenir son regard plus longtemps et ne voulant pas perdre à nouveau le *momentum*, il se retourne brusquement et reprend son ascension.

— Professeur Neumann ! Nous ne vous oublierons jamais, promet Jarvis, la gorge serrée.

— Ahhhhhhhhh ! hurle Neumann en franchissant le seuil de la porte de la cave.

Puis il accélère dans le couloir, en hurlant de plus belle.

— Non ! crie Seward en tirant sauvagement sur ses chaînes.

Neumann file au salon et attrape la table d'échecs, envoyant valser les soldats de plomb de l'armée napoléonienne. Il la lance dans la grande vitre qui se fracasse, surprenant ainsi les officiers de l'ordre et les tireurs d'élite postés devant la maison. Il saute, atterrit dans le gazon sur ses deux pieds et regarde tout autour de lui. Une foule s'est massée devant lui : des badauds, des représentants des médias, des membres d'équipes tactiques et des patrouilleurs, armes au poing. Un bruit de pales au-dessus de sa tête attire son attention. Il lève les yeux et aperçoit, à travers les rayons du soleil, un hélicoptère militaire, un Black Hawk noir, qui plane en roi et maître sur toute la scène. Son rythme cardiaque s'accélère. Il prend une grande inspiration, mais l'air ne semble pas vouloir parvenir à ses poumons. Son champ de vision se rétrécit et des éclairs explosent devant ses yeux. Il bombe le torse et s'élance.

— Ahhhhhhhh ! crie-t-il en ouvrant le feu, les revolvers pointés au-dessus de sa tête.

Il tire, tire et tire, bien campé sur ses jambes devant la fenêtre, sous le hurlement des badauds qui s'accroupissent aussitôt.

Terrifiée, Jarvis se crispe au poteau qui la tient prisonnière et éclate en sanglots. De ses mains liées, Seward tourne tendrement son visage vers le sien et pose ses lèvres sur sa bouche tremblante.

Les deux jeunes gens entendent une puissante détonation à l'extérieur. Neumann tombe à genoux. Il tente de lever le bras gauche, mais il ne répond plus. Il lève légèrement son bras droit.

Une balle se loge dans sa gorge et sa tête bascule vers l'avant. Presque simultanément, il sent une douleur vive au milieu du front. Sous l'impact, sa tête se redresse légèrement et une fine bruine rouge voile son regard. Sur le coup, ses traits se crispent, mais, soudain, une sensation de légèreté l'envahit, son visage se détend, son corps devient mou et il plonge lentement vers l'avant.

Sa chute s'accélère et il atterrit lourdement dans l'herbe verte, sous les visages enjoués des badauds qui se disent qu'ils ne se sont pas déplacés pour rien. Faisant dos au soleil, les caméras tournent et les journalistes exultent. Neumann plisse les yeux. Soudain, les rayons du soleil font place à une intense lumière blanche qui se met à briller devant lui, si forte que la foule disparaît d'un seul coup. Il scrute attentivement l'horizon et aperçoit sa mère au loin. Son visage s'illumine. Elle est là, resplendissante dans sa robe du dimanche, comme si elle ne l'avait jamais quitté, comme si tout cela n'avait été qu'un long et horrible cauchemar.

— Maman ? C'est toi, maman ? C'est bien toi ?

— Eddy ! Eddy, c'est toi ? C'est bien toi ? Viens Eddy. Viens mon chéri. Viens, il faut te lever, lui dit-elle de sa voix la plus douce en arborant son magnifique sourire.

Une petite fille s'approche en courant derrière elle.

— Iris, Iris, c'est toi ? C'est bien toi ? demande-t-il, en larmes.

— Eddy, c'est toi ? C'est toi ? répète Iris, qui sautille de joie.

— Tu es si petite. Je suis si content, si content que vous soyez là ! Tu sais, Iris, tu n'as plus rien à craindre, tu n'as plus à t'en faire. Tu peux me croire sur parole. Plus personne ne te fera de mal, je te le jure, Iris…

— Chut…

— Quoi ? Qu'est-ce qu'il y a, Iris ? Qu'est-ce qu'il y a ?

— Je sais, Eddy, je sais tout ça... Les adultes ici sont tellement gentils. Ils passent leur temps à s'occuper des enfants. C'est le Paradis, ici.

— Si tu veux, Iris, quand tout ça sera fini, je t'amènerai à la plage. Tu as déjà vu la mer, Iris ? C'est magnifique.

— Est-ce qu'il vient avec nous, Madame McBerry ?

— Je ne sais pas, Iris. Je ne sais pas. Ça dépend de lui, répond Lilie avant de se redresser et de la prendre par la main.

— Qu'est-ce que tu fais maman, ne t'éloigne pas, reste avec moi, j'ai froid, j'ai tellement froid !

— Oui, je sais. Je suis là. Je t'adore mon poussin.

Lilie lui sourit et lui tend la main. Iris lâche aussitôt son autre main et sautille de plus belle en souriant à pleines dents.

Lilie ouvre grand ses bras. C'est alors qu'une douce musique lointaine se mêle au vent et semble jouer pour lui à travers les arbres. Ravi, il reconnaît la mélodie de *La petite fille de la mer* de Vangelis. Il tend tranquillement la main. Transportée par le rythme de la berceuse, Lilie s'approche, émerveillée.

— Dans mes bras !

Gisant dans l'herbe fraîche, Neumann ferme lentement les yeux pour la dernière fois, un léger sourire sur les lèvres.

~ Fin ~

Le sanglot des anges
Tome I
Le Tueur de la 495
Barels
Roman policier
PHILIPPE RIBOTY

Les éditions Barels
698, rue Saint-Jean, C.P. 70007
Québec, Québec G1R 6B1
CANADA
Téléphone : 418 522-3400
Télécopieur : 418 522-3400
E-mail : info@barels.ca
Site web : www.barels.ca